Prosperidad
para cada día

Julia Cameron
Con la colaboración de *Emma Lively*

Prosperidad para cada día

Un compañero diario en tu camino hacia
una mayor riqueza y felicidad

EDICIONES OBELISCO

Si este libro le ha interesado y desea que le mantengamos informado
de nuestras publicaciones, escríbanos indicándonos qué temas son de su interés
(Astrología, Autoayuda, Ciencias Ocultas, Artes Marciales, Naturismo,
Espiritualidad, Tradición...) y gustosamente le complaceremos.

Puede consultar nuestro catálogo en www.edicionesobelisco.com

Colección Espiritualidad y Vida interior
PROSPERIDAD PARA CADA DÍA
Julia Cameron
con la colaboración de *Emma Lively*

1.ª edición: octubre de 2016

Título original: *Prosperity every day*

Traducción: *Mireia Terés*
Maquetación: *Compaginem, S. L.*
Corrección: *Sara Moreno*
Diseño de cubierta: *Enrique Iborra*

© 2015, Julia Cameron
Edición publicada por acuerdo con Jeremy P. Tarcher,
sello editorial de Penguin Publishing Group,
una división de Penguin Random House LLC.
(Reservados todos los derechos)
© 2016, Ediciones Obelisco, S. L.
(Reservados los derechos para la presente edición)

Edita: Ediciones Obelisco S. L.
Collita, 23-25. Pol. Ind. Molí de la Bastida
08191 Rubí -Barcelona - España
Tel. 93 309 85 25 - Fax 93 309 85 23
E-mail: info@edicionesobelisco.com

ISBN: 978-84-9111-146-7
Depósito Legal: B-19.212-2016

Printed in Spain

Impreso en España en los talleres gráficos de Romanyà/Valls S.A.
Verdaguer, 1 - 08786 Capellades (Barcelona)

Este libro está dedicado a Joel Fotinos,
por su fe y sus consejos

AGRADECIMIENTOS

Sara Carder
Valerie Green
Gerard Hackett
Susan Raihofer

NOTA DE LA AUTORA

La gente piensa en la prosperidad como un objetivo económico.
«Cuando tenga X dinero, me sentiré mejor».
La verdad es que la prosperidad es un objetivo espiritual
y la fórmula debería ser:
«Cuando tenga X cantidad de fe, me sentiré mejor».

Extraído de The Prosperous Heart

La auténtica prosperidad no tiene nada que ver con el dinero. Independientemente de tu situación económica actual, puedes sentirte mejor de forma inmediata. Sí, vamos a dar pasos para solucionar cuestiones económicas concretas. Sin embargo, no es necesario esperar a un momento indeterminado del futuro para apreciar la vida que tienes. Si decides que deberías esperar a ser «suficientemente» rico para tener la sensación de que tienes «suficiente», nunca lo conseguirás.

Cuando cambiamos a una perspectiva de gratitud, nos sentimos mejor al instante. Cuando nos sentimos mejor, nuestra actitud hacia nosotros mismos, y hacia los demás, es más generosa de forma natural. Si es más generosa, prosperamos.

Este libro, que bebe de múltiples fuentes, pretende ser un apoyo diario en tu viaje hacia una mayor prosperidad, económica y vital. Lee a diario estas meditaciones que te situarán en el camino espiritual que mejorará tu solvencia. Aunque puedan parecer sencillas, ayudan a realizar un reajuste espiritual.

GLOSARIO
DE CONCEPTOS BÁSICOS

RECUENTO: tabulación diaria del dinero que entra y el dinero que sale.

MAPA DEL DINERO: tabulación mensual de nuestro flujo de dinero.

PLAN DE PROSPERIDAD: un mapa de dónde creemos que debería ir nuestro dinero.

ABSTINENCIA: cero deudas.

RULETA DE LA TARJETA DE CRÉDITO: alcanzar el máximo de una tarjeta e ir a por la siguiente.

SOLVENCIA: estado de seguridad económica; tenemos «suficiente».

LOCURA ECONÓMICA: estado del mal uso del dinero, caracterizado por las deudas y el gasto excesivo.

ESPÍRITU: fuente espiritual de nuestro bienestar.

Enero

1 de enero

Un objetivo espiritual

La prosperidad no se trata de dinero. Esta afirmación choca de frente con nuestra forma de pensar habitual. «Pues claro que se trata de dinero», queremos replicar. Sin embargo, si creemos que la prosperidad es un asunto basado en el dinero, entonces nunca habrá dinero suficiente. Tenemos que reconocer que la prosperidad es un objetivo espiritual, no económico.

2 de enero

Abastecimiento ilimitado

Cuando gozamos de estabilidad espiritual, reconocemos que el Espíritu es nuestra fuente. Y eso significa que disfrutamos de un abastecimiento ilimitado. Buscar una fuente espiritual nos introduce en un sentimiento de abundancia. Hay una energía, una fuerza, que sustenta toda la vida. Y esa fuente es el Espíritu.

3 de enero

Dinero y creatividad

Muchos creemos que seremos más creativos cuando alcancemos una seguridad económica. «Cuando tengo dinero suficiente, probaré…», nos decimos. No obstante, la creatividad no depende del dinero. Depende de nuestra sensación de abundancia. Cuando crecemos a nivel creativo, solemos provocar un aumento del flujo económico. La creatividad es un acto de fe. Crecemos y creemos que lo bueno acudirá a nosotros. Este acto de fe nos acerca al Creador, nos acerca a nuestro flujo de bondad.

4 de enero

Tener suficiente

A menudo estamos nerviosos y nos convencemos de que nuestra seguridad corre peligro. En lugar de emprender acciones concretas para remediar nuestra situación, nos alteramos y nos preocupamos. El recuento es el principio de la seguridad. Nos permite saber cuánto dinero tenemos y en qué lo gastamos. Así ponemos fin al desconocimiento económico. A medida que nuestro conocimiento va siendo más amplio, somos capaces de actuar basándonos en él. Esto ayuda a recordarnos que siempre ha habido alguien cuidándonos. El universo es abundante, y manifiesta su abundancia de muchas formas.

5 de enero

Claridad

Anotarlo todo y llevar un histórico de gastos e ingresos es el principio de la claridad. La prosperidad no se basa en las vaguedades ni en la ligera sensación de que tenemos suficiente. Todo lo contrario. La prosperidad y la claridad van de la mano. No creemos que quizá tengamos suficiente; sabemos que tenemos suficiente. Y si tenemos una pérdida, somos conscientes de las dimensiones. Ganamos claridad respecto a lo que podemos hacer para mejorar nuestra solvencia. A menudo suele ser un paso pequeño. ¿Estamos cobrando lo correcto por nuestro tiempo y nuestra atención? Si no, estamos en deuda con nosotros mismos.

6 de enero

Ansiedad

La ansiedad bloquea nuestro flujo. Si nos preocupamos por lo que no tenemos y nos concentramos en lo que nos falta, la ansiedad crece. Para contrarrestar estos pensamientos centrados en la carencia es necesario un acto de fe deliberado. A menudo, trabajar con una afirmación abrirá un canal. La afirmación puede ser tan sencilla como: «Hay de sobra para todos, incluso para mí».

7 de enero

Adrenalina

Muchos, mientras perseguimos la prosperidad, nos encontramos con cierta resistencia. ¿Por qué? Sufrimos una adición activa a la ansiedad. Estamos acostumbrados a preocuparnos. Estamos familiarizados con un flujo excesivo de adrenalina. La ambigüedad es el origen de la obsesión, pero el recuento elimina la ambigüedad.

8 de enero

El Espíritu como fuente

Cuando confiamos en un poder superior, invitamos a la energía divina a nuestras vidas. Al dejar de confiar únicamente en nosotros mismos, confiamos en la abundancia ilimitada, que es nuestra auténtica fuente. Para la inteligencia divina no existe ningún objetivo demasiado difícil. Cuando permitimos que la mente del Espíritu piense a través nuestro, las soluciones sustituyen a los problemas.

9 de enero

Adicción

La adicción nos roba la energía. Nos impide percibir la abundancia. La adicción puede adquirir muchas formas: alcohol, drogas, adicción al sexo y al amor, trabajo excesivo... Cualquiera de estas opciones puede desviar nuestro flujo, o incluso bloquearlo por completo. Acudir al poder superior para que nos ayude con nuestras adicciones nos conduce a la libertad y la prosperidad.

10 de enero

Un bonita cosecha

Cuando somos solventes, plantamos las semillas de una bonita cosecha. Esperamos con ansias la recompensa que seguro obtendremos. Damos gracias por lo que tenemos y sabemos que vendrá más abundancia. Si hacemos caso al mundo natural, podemos esperar abundancia.

11 de enero

Valores auténticos

Para muchos, los valores se traducen en objetos materiales. Queremos un coche nuevo, ropa de marca, un piso precioso. Y estamos tan centrados en estos objetivos que no tenemos tiempo para preguntarnos «¿Qué es lo que valoro de verdad?». Los auténticos valores, ésos a los que no solemos prestar atención, son espirituales. Queremos sentirnos a gusto en nuestro cuerpo, sentirnos seguros, y nos convencemos de que lo conseguiremos a través de lo material. La verdad es que alcanzamos nuestro bienestar espiritual a medida que vamos expresando nuestros auténticos valores, creciendo en términos de generosidad hacia los demás.

12 de enero

Pérdida

Cuando experimentamos una pérdida material, solemos vivir una sacudida en nuestra fe. Y nos preguntamos: «¿Cómo es posible que el Espíritu haya permitido que sucediera esto?», cuando la pregunta que deberíamos hacernos es: «¿A dónde me conduce esta pérdida?». A menudo, solemos encontrarnos con ganancias camufladas de pérdidas. Un golpe a nuestro bienestar económico nos obliga a reconocer que, de momento, y a pesar de nuestra pérdida, estamos bien. Se nos pide que doblemos nuestra fe afirmando que el Espíritu se encarga de todo y que existe un plan divino de bondad para todos, un plan que también incluye la pérdida. Podemos rezar y pedir aceptación. Podemos pedir ver siempre el lado positivo. Podemos pedir confiar en que ese lado positivo siempre existe.

13 de enero

Nutrientes espirituales

Si confiamos en el Espíritu, todos florecemos en el jardín de Dios. Todos somos únicos e irremplazables, y por eso nos cuidan con mimo. Todos recibimos nuestros nutrientes espirituales específicos que culminarán en nuestro glorioso florecimiento.

14 de enero

El número mágico

Muchos tenemos un número mágico, una cifra que nos decimos que solucionará todos nuestros problemas. El número mágico es esquivo. Siempre es superior a lo que tenemos. Y, a pesar de todo, cuando alcanzamos esa cifra mágica, a menudo descubrimos que ha aumentado. Porque nuestros gastos también han aumentado. El número mágico es una fantasía. Nos convencemos de que nuestra economía será más solvente cuando…, pero la solvencia económica se basa en lo que tenemos, no en lo que tendremos. A menudo, la verdadera adicción es el estatus imaginario que conllevaría ese número mágico. Albergamos la falsa creencia de que «si alcanzo una cantidad de seis cifras, todos me respetarán».

15 de enero

Abundancia para todos

Nos comprometemos con el Espíritu. Así, abrimos nuestros corazones y nuestras mentes a todo tipo de creación. En lugar de tener una voz separada y egoísta, nos unimos al todo. Si nos alegramos de nuestra abundancia, vemos abundancia para todos.

16 de enero

Emociones turbulentas

A medida que vamos alejándonos de la locura del dinero, solemos experimentar emociones turbulentas. Si realmente estamos comprometidos con el cambio, vamos sorteando esas emociones. Al final, la serenidad siempre vuelve a ocupar su sitio.

17 de enero

Nuestros sueños creativos

Nos decimos con demasiada frecuencia que nuestros sueños creativos están fuera de nuestro alcance. Decimos que si tuviéramos más dinero, seríamos más creativos. Y es exactamente al revés. Si somos más creativos, disfrutaremos de un mayor flujo. Cuando llevamos nuestros sueños ante el poder superior y pedimos que se hagan realidad, a menudo solemos recibir un acompañamiento, paso a paso, hasta la realización.

18 de enero

La costumbre de las deudas

Algunos tenemos la costumbre de tener deudas. Pedimos dinero a familiares y amigos. Liquidamos el crédito de las tarjetas bancarias. Pedimos un anticipo del sueldo. En general, vivimos por encima de nuestras posibilidades. Al acumular deudas estamos robando a nuestro futuro porque, cuando el dinero llegue, ya nos lo habremos gastado.

19 de enero

Riesgo

Nos convencemos de que el riesgo es peligroso y, sin embargo, es más peligroso no asumir ningún riesgo. Cuando nos aferramos a nuestra vida, nos estamos negando la posibilidad de crecer. Asumir riesgos (pequeños, y uno detrás de otro) nos prepara para enfrentarnos a las oportunidades con optimismo.

20 de enero

Expansión

«¿Me sentiré mejor o peor después de haber intentado la expansión?». Con frecuencia, descubrimos que soportamos mejor un riesgo que no se acaba materializando que el hecho de no asumir ninguno. Los más aventureros dicen: «¿Por qué no intentarlo?». A menudo, cuando damos una oportunidad al riesgo que se nos presenta, siempre acaba floreciendo el lado positivo.

21 de enero

Gratitud

Nuestro universo es abundante. Nos lo acabamos creyendo a través de la práctica de la gratitud. Cuando nos alegramos de nuestra suerte, esta suerte parece que se multiplica. Cuando expresamos nuestra gratitud por todo lo que tenemos, somos capaces de recibir más. La gratitud genera gratitud. Si nos concentramos en lo positivo, abrimos la puerta a la abundancia.

22 de enero

Gratitud diaria

El corazón próspero es un corazón agradecido y centrado en lo positivo, no en las carencias. La práctica diaria de la gratitud nos ayuda a apreciar y a conservar lo que tenemos. Podemos empezar por lo más básico: doy las gracias por tener salud. Y luego podemos ir añadiendo más cosas: doy las gracias por tener salud y por no haberme contagiado de la epidemia de gripe que parece que está afectando a mi comunidad. Una lista de gratitud se alimenta a sí misma.

23 de enero

La lista de gratitud

La gratitud se alimenta de gratitud. Al principio, podemos elaborar una lista de cinco cosas. Al cabo de poco tiempo, serán diez, y después veinte, y después veinticinco. La lista de gratitud nos demuestra que hay alguien que nos está cuidando. La lista nos debe dar tranquilidad. Estamos hechos para sentirnos seguros.

24 de enero

Confusión

Un entorno sereno genera pensamientos serenos. Un entorno confuso no permite que nuestros pensamientos se concentren. El caos genera más caos. La serenidad alimenta más serenidad. La decisión es nuestra. ¿Cómo elegimos vivir? La práctica ideal de meditación se limita a veinte minutos. Veinte minutos al día, destinados a liberarnos de la confusión, nos crearán una sensación de bienestar y crecimiento espiritual.

25 de enero

Una historia de dinero

Si repasamos nuestra historia con el dinero, a menudo descubrimos patrones que se repiten y que se establecieron durante nuestra infancia. A lo mejor, crecimos con la creencia de que el dinero da la felicidad. A lo mejor aprendimos que tenemos que trabajar muy duro para ganar dinero, algo que nos ha generado un estado de desgracia permanente como adultos. El dinero también hay quien lo equipara con el valor personal de alguien. A lo mejor también aprendimos que lo rico significa inteligente y que lo pobre significa tonto. Puede también que hayamos aprendido a vivir por encima de nuestras posibilidades o a pedir dinero prestado y no tener prisa para devolverlo. Para casi todos, el dinero es tan simbólico como tangible.

26 de enero

Rabia

La rabia es una de las claves para la prosperidad. La rabia es la mano de hierro en guante de seda. Nos indica cuándo nos han traicionado y cuando nos hemos traicionado a nosotros mismos. La rabia es la señal que nos avisa que se han traspasado los límites. La rabia nos exige que hagamos algo por nosotros mismos. A veces, la rabia nos pide que mantengamos una conversación difícil y expliquemos con precisión cómo nos hemos sentido con esa invasión. Otras veces, la rabia nos pide que nos hagamos una promesa: «No volveré a hacer eso nunca más». La rabia es un mapa. Nos señala la dirección de nuestros auténticos valores.

27 de enero

Velocidad

Nuestra sociedad se mueve muy deprisa. Corremos angustiados, apresurados por lograr nuestros objetivos. Este ritmo frenético nos agota. No tenemos fe en el ritmo que nos marca el Espíritu. Aunque parezca irónico, cuando frenamos, las recompensas de la vida parece que se aceleran. Cuando nos ponemos en sintonía con el ritmo del universo, podemos aprovechar mejor las numerosas oportunidades que van surgiendo.

28 de enero

Sin deudas

Cuando tenemos deudas, comprometemos nuestro futuro. Cuando saldamos todas las deudas, experimentamos una mayor libertad. El dinero que tenemos es nuestro y podemos gastarlo de forma creativa. Cuando no tenemos las manos atadas por las deudas, somos libres para soñar y para emprender las acciones necesarias para acercarnos a nuestros sueños. Sin la distracción de las deudas, nuestra imaginación puede olvidarse de lo negativo y concentrarse en lo positivo.

29 de enero

Amistad

La experiencia de la prosperidad transmite seguridad. Y para esta experiencia, es básico tener un círculo cercano sensato y sobrio. Debemos escoger a nuestros amigos con mucho cuidado. Su solvencia refuerza la nuestra.

30 de enero

Una vida sin deudas

Merece la pena hacer un seguimiento de nuestros patrones de endeudamiento y elaborar un plan para, algún día, poder vivir con nuestros propios medios. Romper el círculo vicioso de las deudas nos ayuda a valorarnos más aunque, al principio, parezca imposible poder llevar una vida sin deudas. Si vamos día a día, podemos conseguir una vida sin deudas.

31 de enero

Comunidad

A medida que vamos prosperando, perdemos la sensación de alienación. Como no estamos en deuda con nadie, tenemos libertad para forjar los vínculos de comunidad que queramos. Al ser responsables ante nosotros mismos y ante los demás, se puede confiar en nosotros. Los demás se sienten atraídos por nosotros como nunca hasta ahora.

Febrero

1 de febrero

Hacer trampas

Cuando hacemos trampas con el recuento, solemos decir: «¿Para qué sirve todo esto?», y nos lanzamos de cabeza a gastar sin medida. No nos damos cuenta de que, sencillamente, podemos empezar de nuevo. Podemos retomarlo desde donde estamos. Nuestras herramientas de solvencia están siempre preparadas y esperándonos.

2 de febrero

Pasar a la acción

La solvencia no es estática. Cuando somos solventes, podemos seguir prosperando. Esto implica aplicar acciones
positivas por nuestro propio bien. No estamos paraliza-
dos por las deudas. A medida que evitamos, a diario,
incurrir en nuevas deudas, estamos aplicando acciones
positivas. Evitar las deudas es una acción. Nos libera para
poder movernos en la dirección de nuestros sueños.

3 de febrero

Asistencia divina

El Espíritu nos controla constantemente. Nos guía con cuidado y mimo. No existe una solución demasiado complicada o compleja a la que el Espíritu no encuentre solución. Cuando pedimos ayuda, obtenemos asistencia divina. La inteligencia divina nos guía hacia la acción correcta.

4 de febrero

Mentores

La mayor parte de nosotros crecemos sin educación económica. Nuestros padres no nos enseñan a utilizar las herramientas fiscales. Puede que ni siquiera las tengan. En nuestra lucha por conseguir asumir el sentido de la prosperidad, es importante que encontremos mentores económicos, gente que se sienta cómoda hablando de dinero, gente para la que el dinero sea una herramienta, no un dios.

5 de febrero

El lado bueno de las cosas

Cuando tomamos la decisión de comprometernos con el Espíritu, el Espíritu nos responde con el mismo compromiso. Bajo la protección del Espíritu estaremos seguros, protegidos y a salvo. Si nos encontramos con una adversidad, el Espíritu la convertirá en una oportunidad, y si estamos dispuestos a estar atentos, nos revelará el siempre inesperado lado bueno de las cosas.

6 de febrero

Flujo de efectivo

Por suerte, la sensación de pánico que acompaña al saberse en bancarrota se puede rehacer. Si te deben dinero, no estás en bancarrota. Tienes un problema de flujo de efectivo. Seguramente, tu mentor económico te sugerirá que contrates a un abogado para que reclame tus cuentas por cobrar. En todo momento, tu mentor actuará y te animará a actuar, como si tuvieras una autoestima muy alta, tanto si sientes pánico como si no.

7 de febrero

Aventura

El corazón próspero es un corazón aventurero. No está estancado, sino que se mueve en todas direcciones basándose en sus curiosidades. Una vez liberados de las deudas, somos libres para soñar. Actuar basándonos en esos sueños de forma concreta nos da una experiencia de optimismo y fuerza. A medida que expandimos nuestros horizontes, percibimos es poder de ese «algo» benevolente que mucha gente decide llamar Espíritu.

8 de febrero

Nunca estás solo

Cuando nuestra situación económica atraviesa un momento precario, muchos tenemos una sensación de aislamiento. Nos sentimos solos. Tenemos la sensación de que nadie entiende la presión a la que estamos sometidos. El estrés nos agobia y se convierte en un compañero constante. Mientras trabajamos para lograr la solvencia, empezamos a sentir que el mundo es un lugar benevolente. Y, en lugar de aislamiento, nos sentimos conectados. Formamos parte de un todo más grande.

9 de febrero

Sé amable contigo mismo

A pesar de que no solemos reconocerlo, la irresponsabilidad económica es una forma de crueldad hacia nosotros mismos. Si vamos adquiriendo deudas, estamos abriendo la puerta de nuestra vida al estrés. Evitamos las llamadas de los cobradores. Evitamos abrir el buzón. Jugamos a la ruleta de la tarjeta de crédito, alcanzando el máximo de una antes de ir a por la siguiente. Gastamos más de lo que ganamos. Un lastimoso aborrecimiento de nosotros mismos se convierte en la banda sonora que ensombrece nuestros días. Cuando empezamos a trabajar para alcanzar la solvencia, y vivimos acorde a nuestros ingresos, descubrimos una nueva sensación: el amor por nosotros mismos. La responsabilidad económica es un ejercicio de amabilidad y amor hacia nosotros mismos.

10 de febrero

Abundancia ilimitada

Cuando mi situación económica se basa en el Espíritu, veo un mundo de belleza a mi alrededor. La primavera, el gatito, la azucena, el helecho, el arce, el sauce, el musgo sobre un tronco caído cerca del río… Todas estas imágenes y muchas más me hablan de la abundancia ilimitada del Espíritu.

11 de febrero

El Espíritu en acción

La inteligencia divina flota por el universo. La sabiduría divina está esperando nuestras preguntas. Cuando confiamos en el Espíritu para que nos guíe en todo, esa guía se presenta en forma de muchas cosas. Puede que sea algo interno: la vocecita, la corazonada. O puede que sea algo externo: la coincidencia, la conversación entre dos extraños que oímos de pasada. La guía se nos aparece con forma de sincronicidad. Por «casualidad», estamos en el lugar indicado en el momento perfecto. La intuición nos guía. Los avisos son el Espíritu en acción.

12 de febrero

Un destino creciente

Cuando se basa en el Espíritu y se conecta a toda la vida mediante el Espíritu, el corazón próspero recibe indicaciones para crecer. Y al crecer, cumple su destino.

13 de febrero

Límites

El corazón próspero es generoso. Libres de la carga de las deudas y el gasto desmedido, descubrimos la seguridad de los límites de salud. Aunque parezca irónico, tener unos límites firmes nos permite crecer en nombre de los demás. No acumulamos deudas y ofrecemos prestar un dinero que no tenemos cuando sabemos lo que podemos ofrecer.

14 de febrero

Una brisa fresca

Al hacer recuento, descubrimos una brisa fresca que alivia nuestro tormento económico. El aliento del Espíritu aporta soluciones. Nuestros problemas se convierten en meras preguntas a las cuales el Espíritu ofrece respuesta.

15 de febrero

Escucha

El corazón próspero tiene libertad para escuchar las indi-caciones. La vocecita suena más fuerte. Descubrimos que alguien nos guía y nos protege. Al depositar nuestros asuntos en manos de una sabiduría superior, nos sintoni-zamos con las nuevas indicaciones que se orquestan en lo divino. La corazonada o inspiración enseguida se con-vierten en una parte activa de nuestra mente. Nos guían con cuidado y cariño.

16 de febrero

Decir «sí»

El primer fruto del recuento es la responsabilidad. Sabemos de dónde viene nuestro dinero y dónde va. Nos hemos liberado de la ambigüedad y la distracción. Tenemos una base sólida sobre la que construir nuestras vidas. Esta base nos permite decir «sí» al universo. Somos libres para ser positivos y optimistas. Somos libres para gastar dinero acorde con nuestros auténticos valores. Somos libres para decir «sí» a la vida.

17 de febrero

Inmerso en el Espíritu

Estoy en el Espíritu y el Espíritu está en mí. Estoy inmerso en él en todo momento en esta vida divina. La inteligencia divina que empuja hacia delante. El Espíritu piensa a través de mí e ilumina mi camino.

18 de febrero

Perdonarnos

Si el recuento es el primer paso hacia la solvencia, también es el primer paso hacia el autoperdón. Al poner nuestra situación económica negro sobre blanco, alcanzamos la claridad y la dignidad. No somos nuestras deudas. Podemos aprender a gastar dinero de forma más sensata y a tener compasión por aquel yo que abusó de nuestra economía. Al fin y al cabo, nos dejábamos llevar por el miedo, miedo a no ser suficiente sin grandes dispendios. Podemos perdonarnos. No somos nuestras deudas.

19 de febrero

Fuente interna

La fuerza del Espíritu no tiene límites. Cuando busco al Espíritu de mi interior, conecto con una fuente interna sin límites. Cuando confío en el Espíritu, percibo la fuerza. En mi búsqueda de solvencia, recibo ayuda e indicaciones.

20 de febrero

Desmantelar la negatividad

En el corazón próspero no hay espacio para la negatividad. Cuando dejamos nuestros asuntos en manos de una sabiduría superior, cedemos nuestros intentos por controlarlo todo. Podemos permitirnos nuevas y más positivas perspectivas. Nos hemos liberado del miedo y la ansiedad. Cuando percibimos la sensación de seguridad del orden divino, somos capaces de olvidarnos de nuestras proyecciones temerosas.

21 de febrero

El plan del Espíritu

El Espíritu es una energía grande y armoniosa. Vierte sus bendiciones por toda la vida. Cuando decidimos, de forma consciente, abrir nuestros corazones al Espíritu, nos convertimos en instrumentos de la voluntad divina. Y nuestra solvencia forma parte del plan que el Espíritu ha diseñado para nosotros.

22 de febrero

Un futuro brillante

Al sentirse afortunado por todo lo que ha recibido y tener la certeza de que todavía vendrán más bendiciones, el corazón próspero percibe la abundancia. Seguro de su vínculo con el Espíritu, mira al futuro con optimismo.

23 de febrero

Seguir adelante

El recuento nos permite seguir adelante. Al liberarnos del estrés de unos gastos abusivos, podemos empezar a gastar dinero según nuestros auténticos valores. Somos capaces de avanzar hacia nuestros sueños. Tenemos la humildad necesaria para empezar con algo pequeño. Ya no perseguimos «el negocio del siglo». En lugar de eso, seguimos nuestro plan de prosperidad y vamos paso a paso con avances pequeños pero sólidos.

24 de febrero

La melodía de la vida

Cuando somos solventes, nuestra vida es armoniosa. Cada uno de nosotros se convierte en una nota auténtica y contribuimos con nuestro alegre sonido a la melodía de la vida. Y nuestra canción relata la libertad y el crecimiento.

25 de febrero

Ir despacio

Nuestro mundo está lleno de prisas. A menudo, creemos que tenemos que ir más deprisa porque el mundo que nos rodea está desbocado. Solemos discutir con el Espíritu acerca del ritmo de los acontecimientos. Sabemos qué queremos y lo queremos ahora. El corazón próspero aprende a confiar en el ritmo del Espíritu. Si nos fijamos en el mundo natural, éste confía en las estaciones.

26 de febrero

Demora

La demora es un efecto secundario del perfeccionismo. Como tenemos miedo de no poder hacer algo a la perfección, vamos demorando el momento de intentarlo. A menudo, llamamos pereza a la demora, pero no lo es. Es miedo. A medida que vamos aprendiendo a desmantelar nuestro perfeccionismo, somos libres para seguir adelante. La demora nos obliga a avanzar con pasos diminutos hacia nuestros sueños.

27 de febrero

El alivio de la armonía

La vida sin solvencia es una vida disonante. Nuestras necesidades y nuestros deseos chocan con los de los que nos rodean. Estamos desplazados. Al confiar en el Espíritu, experimentamos un gran alivio. Experimentamos armonía. La música del amor del Espíritu llena nuestras vidas.

28 de febrero

La guía del Espíritu

Cuando confiamos en el Espíritu como la fuente de nuestro bien, descubrimos que nos guían pistas y avisos, tanto internos como externos. Cuando nos concentramos en lo positivo, descubrimos que atraemos más paz, más prosperidad y más alegría.

29 de febrero

Bajar el ritmo

La rabia es un amigo «realista». Sentimos rabia cuando nosotros mismos u otra persona no ha respetado nuestros valores auténticos. La rabia suele ir unida a los celos: alguien ha ido más lejos y más deprisa que nosotros. Refunfuñamos que no es justo y no nos fijamos en nuestra propia participación en la situación. ¿He trabajado hoy en la obra? ¿He ensayado el monólogo? ¿He hecho recuento? ¿He gastado de acuerdo a mi plan de prosperidad? En definitiva, ¿he sido responsable conmigo y con mis sueños?

Marzo

1 de marzo

Vivir el ahora

El recuento nos permite vivir el ahora. No estamos atrapados por las actitudes del pasado y no tememos a las del futuro. Dejamos de decir: «A lo mejor mañana...», porque nos concentramos en lo que podemos hacer hoy.

2 de marzo

Obsesión

El corazón próspero se ha liberado de la obsesión. Se ha liberado de los planes grandiosos que utilizamos para curar nuestra autoestima baja y ya no creemos en el «negocio del siglo», en ese «algo» gigante que demostrará lo que valemos. Nos percibimos como personas que valen la pena, un sentimiento que no está vinculado a nuestra situación económica. Ya no tenemos necesidad de obsesionarnos con cómo será «cuando…». En lugar de eso, valoramos el día que vivimos.

3 de marzo

Seguridad

A medida que vamos ganando seguridad en nuestras finanzas, podemos experimentar una mayor seguridad en nuestras amistades. Ya no queremos rescatar o que nos rescaten. Libres de las peticiones implícitas, las amistades se convierten en algo recíproco.

4 de marzo

Humildad

Cuando dejamos nuestras vidas en manos de un poder superior, estamos practicando la humildad. Existe una mano superior a la nuestra que dirige nuestro destino. Cuando abrimos la mente para aceptar las indicaciones de esta fuente superior, asumimos el tamaño perfecto. Ya no jugamos a ser Dios y podemos recibir consejos.

5 de marzo

El tiempo del Espíritu

Cuando nos hemos comprometido con la solvencia, sintonizamos con el ritmo que el Espíritu nos impone. En lugar de pelear con él sobre este aspecto, podemos fijarnos en el mundo natural y permitir que las estaciones evolucionen de forma natural.

6 de marzo

Honrar a los demás

Crecemos y hacemos crecer a los demás cuando demostramos generosidad en pequeños detalles: la sonrisa al dependiente, sujetar la puerta para una señora mayor, ayudar a alguien a cruzar la calle; todos son actos de generosidad. La generosidad es una opción espiritual. Nos tomamos un tiempo para honrar a los demás.

7 de marzo

Abastecimiento abundante

La prosperidad se basa en la generosidad. Confiamos en que existe un universo abundante. Confiamos en que hay suficiente para que todos lo compartamos. De forma inconsciente, muchos de nosotros creemos que el universo es un lugar tacaño y que debemos proteger nuestros bienes. Cuando aprendemos a concentrarnos en la generosidad del universo, cuando aprendemos a reconocer al Espíritu como la fuente de todo, empezamos a percibir una sensación de abastecimiento abundante. Un abastecimiento que se puede compartir. Siempre hay más.

8 de marzo

Guía amable

El corazón próspero se ha liberado de la carga de la ansiedad temerosa. En su lugar, se ha conectado a una frecuencia superior. Cuando confía en el Espíritu, escucha la «vocecilla». La guía se pronuncia de forma amable y en silencio.

9 de marzo

Pedir dinero

Para muchos de nosotros, el dinero es un tema tabú, algo de lo que preferiríamos no hablar, algo que desearíamos que se arreglara solo sin tener que hacer nada. Sin embargo, un primer paso hacia la solvencia es la capacidad de hablar de dinero como un asunto neutro, es poder pedir dinero que nos deben sin el sentimiento de culpa o ansiedad. El dinero que nos deben es una realidad, y no debemos vincular la vergüenza al hecho de reclamar lo que nos pertenece.

10 de marzo

Un plan superior

Si hemos dejado nuestra situación económica en manos de un poder superior, cuando el trabajo no abunda debemos confiar en que existe un plan superior. A menudo, cuando los cheques llegan puntuales solemos creer que todo va bien. Sin embargo, puede que el ritmo del Espíritu no coincida con nuestros deseos, y debemos aprender a aceptarlo, a saber que estamos a salvo en ese plan superior.

11 de marzo

Pasar a la acción

Debemos trabajar para confiar en que, cuando el dinero no llega, estamos bien. A veces es necesario pasar a la acción. En ocasiones, es oportuno enviar un correo electrónico para reclamar una deuda. En otras ocasiones, quizá tengamos que contratar a un abogado. Nuestra disposición a reclamar lo que es nuestro forma parte de la solvencia. A veces, hay que ejecutar acciones espirituales, y en este caso se trataría de una plegaria sincera o la decisión de confiar en el Espíritu.

12 de marzo

Competición

La competición se basa en la escasez de pensamiento. Creemos que hay suficiente para un único ganador, pero no suficiente para todos. La realidad es que hay suficiente para todos. No tenemos ninguna necesidad de competir entre nosotros. Sólo debemos concentrarnos en nuestro crecimiento.

13 de marzo

Celos

Los celos son un mapa. Nos señalan la dirección en que deseamos ir. A menudo van acompañados de rabia y nos señalan la dirección hacia nuestros sueños. En numerosas ocasiones, descubrimos nuestros sueños a través de los celos. Cuando somos capaces de descubrir la sabiduría detrás de los celos y escuchar su consejo, entonces crecemos.

14 de marzo

Deshabituación de los medios de comunicación

Pocas herramientas son más efectivas que la deshabituación de los medios de comunicación. ¿Deshabituación de los medios de comunicación? Exacto. Nada de correos electrónicos, nada de periódicos, nada de radio. Cuando establecemos una «pausa» del ritmo frenético de nuestras vidas, puede que la facilidad y la claridad de nuestras perspectivas nos sorprendan.

15 de marzo

Manifestación

Cuando aprendemos a depender del Espíritu, nos sentimos seguros. El Espíritu sueña a través nuestro y manifiesta nuestros sueños de forma poderosa y a la vez pacífica.

16 de marzo

Conocimiento adicional

Cuando dejamos nuestros asuntos en manos de un poder superior, a menudo solemos tender a buscar conocimiento adicional. Puedes llamarlo «juego de pies»; nuestra disposición a educarnos respecto a nuestras opciones puede conducirnos a un estado de calma. Cuando buscamos el consejo de los mentores, podemos aprender a aceptar de forma tranquila nuestra situación económica. Un poco de educación puede que nos demuestre que no hay motivo para hundirse en el pánico.

17 de marzo

Los regalos del Espíritu

Todos somos el ojito derecho del Espíritu, cada uno de nosotros es único e irremplazable, original y poderoso. Es el regalo que nos hace el Espíritu. Cuando alcanzamos la transparencia económica, podemos utilizar estos regalos en beneficio propio.

18 de marzo

El mapa del dinero

Uno de los primeros frutos del recuento es la claridad. Nuestro dinero es un mapa. Hacer un seguimiento de los gastos nos permite ser conscientes de nuestros valores. A menudo, descubrimos que no estamos gastando el dinero de acuerdo con nuestros valores auténticos. El recuento nos demuestra dónde tenemos que introducir cambios. La realidad suele ser que descubrimos que tenemos «suficiente» pero que hemos estado malgastando nuestro dinero. Cada céntimo que gastamos en algo que coincide con nuestros valores auténticos nos deja una sensación de abundancia.

19 de marzo

El siguiente paso correcto

En los programas de doce pasos, se suele comentar que Dios sería sinónimo de dirección clara y ordenada. Cuando rezamos y pedimos saber la voluntad del Espíritu para nosotros y el poder para llevarla a cabo, casi siempre acabamos avanzando pasos pequeños. Y es que, aunque no podemos cambiar todas nuestras circunstancia en un abrir y cerrar de ojos, sí que podemos dar el siguiente paso correcto. Y puede que sea algo tan sencillo como limpiar la bandeja de entrada del correo electrónico. El desorden y la claridad no pueden coexistir.

20 de marzo

Nunca es tarde

No hay situación demasiado complicada para el poder superior. Con frecuencia, tenemos la sensación de que es «demasiado tarde» para buscar ayuda. Sin embargo, la ayuda espiritual está a nuestra disposición en todo momento. Sólo se necesita la humildad para pedirla. Y, entonces, la atención intensa puede demostrarnos que nuestros problemas tienen solución. Un poder superior es una energía generosa. El Espíritu se alegra cuando solucionamos los problemas.

21 de marzo

El plan de prosperidad

El recuento refleja dónde va nuestro dinero. Un plan de prosperidad basado en el recuento explicita cómo podemos optimizar nuestros gastos. Un plan de prosperidad contiene categorías para el cuidado de uno mismo. Comida, ropa, ocio... Puede que todas estas categorías necesiten un reajuste de nuestro flujo de dinero. Si tenemos la costumbre de comprarnos dos cafés al día, tenemos dinero de sobra para financiar una película. Un plan de prosperidad es un esquema. En él perfilamos nuestro gasto ideal. A medida que vamos gastando según nuestros valores auténticos, nuestro valor crece.

22 de marzo

Un plan divino de bondad

Existe un plan divino de bondad para todos. En lugar de vivir una vida llena de apuros, la solvencia nos ha liberado y nos permitir vivir una vida llena de gracia. El bien fluye hacia nosotros desde numerosas direcciones inesperadas. Cuando nos alimentamos del Espíritu, crecemos.

23 de marzo

Voluntariado

El corazón próspero es generoso. Busca formas de dar sin pedir dinero a cambio. Cuando decidimos en qué formato podemos dar más de nosotros mismos, el voluntariado nos deja claro nuestro valor. El abanico de necesidades es muy amplio, desde colaborar en un asilo hasta elaborar programas de formación. Cuando hacemos inventario de nuestras necesidades, descubrimos que podemos cubrir determinadas necesidades.

24 de marzo

Avisos internos

Cuando abrimos el corazón a un poder superior, aprendemos a confiar en nuestro guía. De forma gradual, vamos desarrollando la fe en nuestros avisos internos. Estamos en el Espíritu y el Espíritu está en nosotros. Sabemos cuál es la acción correcta.

25 de marzo

Compañeros seguros

A menudo, solemos contagiarnos del estado emocional de las personas que nos rodean. Por este motivo, debemos prestar una atención especial a rodearnos de compañeros seguros, con valores similares a los nuestros. Si pretendemos mejorar nuestra vida espiritual, debemos rodearnos de creyentes, no de escépticos. Si queremos confiar en un universo benevolente, debemos buscar personas optimistas y con fe.

26 de marzo

Pedir ayuda

Todos disponemos de una fuente de sabiduría interna. Todos y cada uno de nosotros tenemos la capacidad de pedir ayuda a esta fuente, y a recibirla de ella. Una forma sencilla de hacerlo es tomar un papel y un bolígrafo y escribir: «¡Ayuda! ¿Qué debería hacer con…?», y luego escuchar la respuesta. A menudo, la ayuda que recibimos es sencilla pero profunda. El hábito de escribir a diario nos asegura un camino bien iluminado. Nos guían y nos cuidan con cariño. Sólo tenemos que pedir ayuda y esperar a recibirla.

27 de marzo

Una linterna de bondad

El Espíritu es una linterna de bondad. Ilumina nuestro camino y alumbra los nudos y rincones de nuestra experiencia. Nos asegura que todo está bien mientras transmite el bien a nuestras vidas. Cuando nos comprometemos con el Espíritu, descubrimos que nuestra vida está iluminada.

28 de marzo

Recibir abundancia

Cuando nos sentimos afortunados por lo que tenemos, lo que tenemos parece que se multiplica. Cuanto más agradecidos estamos por lo que tenemos, más podemos recibir. El universo es abundante; nuestro trabajo es reconocerlo y recibir esa abundancia.

29 de marzo

Ser original

Cuando acudimos a nuestro interior y buscamos ayuda, conectamos con el flujo de ideas divinas. La originalidad del Espíritu es ilimitada, y cuando permitimos que nuestras mentes y nuestros corazones se abran, el Espíritu piensa a través nuestro y nos convertimos en seres originales.

30 de marzo

Elegir el optimismo

El optimismo es una actitud elegida. Siempre podemos escoger entre la fe y el miedo. Cuando escogemos la fe, ponemos en práctica el optimismo, la creencia de que todo está bien a pesar de que pueda parecer lo contrario.

31 de marzo

Humor

Muchos tenemos la sensación de que la vida es algo serio. Miramos con buenos ojos la tensión y el estrés y, no obstante, no tenemos ninguna prueba de que los apuros nos ayuden a conseguir lo que queremos. El mundo natural debe ser nuestro maestro: la mariposa acariciando la rosa, una ardilla jugando con la cola, un gatito encantado con un ovillo de lana. En todas estas pequeñas cosas hay humor.

Abril

1 de abril

Alegría

El corazón próspero es alegre. Cuando confiamos en que todo sigue un orden divino, que el universo es benevolente y que el futuro nos depara mucha bondad, un corazón alegre vive en paz y prosperidad. Anticipa con entusiasmo el éxito y cree que lo que emprenda prosperará.

2 de abril

Fe

Depositar nuestros asuntos en manos de una sabiduría superior es un acto de fe. Creemos en la inteligencia divina y creemos que esa inteligencia nos guía. Ningún problema es demasiado grande o demasiado complejo para el Espíritu.

3 de abril

Las estaciones del Espíritu

El corazón próspero confía en el ritmo del Espíritu. No conoce las prisas ni las tensiones, ni la urgencia ni la emergencia. El corazón próspero cree en las estaciones del Espíritu. Hay un momento para plantar, un momento para la gestación, un momento para el crecimiento y un momento para la cosecha. Nadie fuerza el crecimiento. Hay tiempo suficiente para que todo crezca y prospere.

4 de abril

Placer

El Espíritu quiere que vivamos con placer. El mundo es el regalo que el Espíritu nos hace: generoso y precioso. Mientras nos maravillamos ante la creación, el Creador se maravilla ante nuestro placer.

5 de abril

Perdonar a los demás

A medida que nos vamos aferrando con firmeza a la solvencia, ganamos compasión hacia nuestro antiguo yo. Y también hacia aquellos que sufren a consecuencia de las finanzas incontrolables. Al fin y al cabo, no hace tanto que nos contábamos entre ellos. Al alcanzar la solvencia, el mejor regalo que podemos hacerles es vivir para dar ejemplo.

6 de abril

Inspiración

La inspiración es un regalo del corazón próspero. Aprender algo significa tomarnos el tiempo para buscar quien nos enseñe, es aprender a reconocer la «vocecita» y es escuchar la armonía superior de la inspiración. La práctica diaria de la plegaria y la meditación, a menudo entendida como «tiempos muertos» durante el día, nos acaba regalando la inspiración como parte activa de la mente.

7 de abril

El cuidado de uno mismo

El corazón próspero sabe cuidarse a sí mismo. Escucha y reconoce sus necesidades, sus voluntades y sus deseos personales. Y en lugar de forzarlos con prisas y angustias, pregunta qué puede hacer ahora mismo para sentirse en paz. Las respuestas llegan, y a medida que aprende que hay alguien que lo escucha, habla con más dulzura y concreción. Puede que la respuesta sea: «Necesitas descansar y beber agua». O: «Relájate, olvídalo y recuerda que el Espíritu te guía».

8 de abril

La luz al final del túnel

La locura económica sólo genera desesperación. Tenemos la sensación de que nunca avanzaremos. La solvencia genera esperanza. Vemos la luz al final del túnel. Recuperamos la dignidad.

9 de abril

Abstinencia

Una de las primeras consecuencias de la abstinencia es una mayor claridad. Sabemos exactamente cuánto dinero tenemos y estamos atentos a cualquier ingreso inesperado, que se puede repartir en tres direcciones: un tercio al pago de deudas, un tercio al presente y un tercio en ahorros para el futuro. Esta fórmula, aplicada por Deudores Anónimos, transmite una sensación de abundancia sensata.

10 de abril

Nuestra propia esfera

A menudo, estamos tan concentrados en los problemas generales que somos incapaces de ver el bien que podemos hacer en nuestra propia esfera. Si actuamos con generosidad y amabilidad, dejaremos una huella de benevolencia en todo lo que hagamos.

11 de abril

Compartir el conocimiento

Con frecuencia, en nuestro entorno hay gente más joven que se puede beneficiar de lo que podamos compartir con ellos. Una clase de cómo preparar galletas tiene mucho futuro, porque las galletas pueden ser un gran regalo en numerosas ocasiones. Una clase de *collage* puede conllevar un plus de mayor conocimiento de nosotros mismos, pues es una herramienta que explora el conocimiento de uno mismo. Ayudar a redactar un currículum, una carta de consulta o la solicitud de una beca es una gran ayuda. Las habilidades que transmitimos puede que, a su vez, sean transmitidas con posterioridad. Nuestros regalos son valiosos.

12 de abril

Nuestros sueños

Una vez comprometidos con la solvencia, descubrimos que hay un poder que fluye por la vida. Ese poder es el Espíritu. El Espíritu sueña a través de nosotros. Y nuestros sueños se cumplen gracias a él.

13 de abril

Miedo

En los billetes de un dólar se puede leer: «Confiamos en Dios». No obstante, mucha gente confía más en el dinero que en Dios. Siempre nos han dicho que el dinero es un seguro contra el miedo. Si tenemos dinero «suficiente», estaremos a salvo. Pero el concepto de dinero «suficiente» no existe. A medida que vamos acumulando activos, crece el miedo a perderlos. Y en lugar de creer que hay alguien que nos cuida, creemos que tenemos que cuidar lo que tenemos.

14 de abril

Gastos inesperados

Al utilizar el recuento como la herramienta básica para la responsabilidad fiscal, dibujamos un plan de prosperidad y definimos dónde nos gustaría que fuera a parar nuestro dinero. Para muchos de nosotros, es la primera vez que tenemos una cuenta de ahorros, un fondo de contingencias para los gastos inesperados. También es la primera vez que sabemos con exactitud cuánto dinero tenemos y cuánto dinero podríamos dedicar a una emergencia.

15 de abril

Orden divino

Una vez comprometidos con nuestras herramientas de solvencia, obtenemos la gracia de la aceptación. Todo está en el orden divino. Ya no luchamos contra el ritmo del Espíritu. Acabamos creyendo que la vida se desarrolla como debería.

16 de abril

Ahorrar

Para muchos de nosotros, «guardar algo para cuando vengan las vacas flacas» es un concepto desconocido. Estamos acostumbrados a gastar cada céntimo que tenemos; y algunos incluso estamos acostumbrados a gastar más que eso. Tenemos la costumbre de endeudarnos, no de ahorrar. Destinar una décima parte de nuestros ingresos al ahorro basta para acumular un colchón de seguridad suficiente para los malos tiempos. Y cuando recibimos un ingreso inesperado, debemos aumentar a un tercio la cantidad destinada al ahorro. De los dos tercios restantes, podemos destinar uno a pagar deudas y el otro, al presente.

17 de abril

Una nota auténtica

El Espíritu me habla, y también habla a través de mí.
Mientras espero y escucho sus indicaciones, tengo una
voz para celebrar lo que encuentro. Mis enfoques y percepciones son poderosos y únicos. Mi voz emite una nota auténtica en la sinfonía de la vida.

18 de abril

Día a día

Para un alcohólico, una vida sin alcohol puede parecer imposible, pero es factible si trabaja día a día. Pues todos podemos alcanzar una vida sin deudas si trabajamos en incrementos de 24 horas. «Hoy no acumularé ninguna deuda».

19 de abril

Crecimiento para todos

El Espíritu es una energía vibrante y dinámica. Desprende amor hacia todo y crece a un ritmo tranquilo. Cuando nos alineamos con él, nosotros también crecemos. Hay suficiente para todos.

20 de abril

Paz

Cuando confío en el Espíritu, crezco sin competición. Cuando he alcanzado la solvencia, voy paso a paso hacia una vida más abundante. Cuando doy las gracias por lo que tengo, abandono cualquier tipo de hostilidad y agresividad. En lugar de ello, camino en paz.

21 de abril

Dependencia defectuosa

Cuando nos recuperamos de la locura económica, nos recuperamos de una dependencia defectuosa. En lugar de confiar en las personas, buscamos al Espíritu mientras aprendemos que la recuperación significa confiar en el Espíritu, no desafiarlo.

22 de abril

Atrévete a soñar

El corazón próspero es expansivo. Una vez liberado de la ansiedad que le producen las deudas, acumula una abundancia de energía productiva y utilizable. Una vez liberado de la pesadilla de la ansiedad fiscal, el corazón próspero se atreve a soñar.

23 de abril

La ayuda del Espíritu

El Espíritu soluciona nuestros asuntos más complejos.
No hay situación demasiado complicada o difícil para él.
Le complace ayudarnos. Cuando recibimos ayuda, da-
mos las gracias y nuestra gratitud fluye.

24 de abril

Espontaneidad

Abrumados por la locura económica, nos preparamos para lo peor. Petrificados por el miedo, tememos lo que vamos a encontrarnos. Cuando somos solventes, vemos el mundo como un lugar más acogedor. Cuando dejamos de estar a la defensiva, confiamos en nuestra espontaneidad.

25 de abril

Recibir

Cuando alcanzamos la solvencia, la abundancia acude a nosotros desde varias fuentes. Para poder recibirla, debemos practicar tener el corazón abierto, así como la mente. A nuestro poder superior le encanta dar. Nuestra función es recibir.

26 de abril

Camino pacífico

Cuando aprendemos a depositar nuestros asuntos en manos de un poder superior, vemos los resultados. Hay una persona que nos guía con cuidado y con mimo. De forma progresiva, nos damos cuenta de que nos están guiando por un camino pacífico mediante corazonadas que nos llevan en la dirección correcta.

27 de abril

Pequeños lujos

Cuando hacemos el esquema de nuestro plan de prosperidad, asignamos categorías para un mejor cuidado propio. Encontramos huecos para pequeños lujos. A lo mejor compramos un champú «bueno» o una pastilla de jabón aromatizado. A lo mejor nos suscribimos a una revista, aprovechando un descuento considerable, en lugar de pagar mucho más cada mes en el quiosco. Si hacemos una lista de esos pequeños lujos, a lo mejor descubrimos que podemos permitirnos algunos. Un pequeño lujo es una gran ayuda.

28 de abril

Protegido por el Espíritu

El Espíritu está en lo más profundo de nuestro ser. Al estar protegidos por esta fuente interna, vamos por el mundo con mucha confianza. Sólo hay un poder. Este poder es el Espíritu que llevamos dentro, que nos guía hacia la seguridad. Cuando confiamos en él, el mal no se cruza en nuestro camino. El Espíritu ve la adversidad como una oportunidad.

29 de abril

Ideas divinas

El corazón próspero confía en la divinidad. Sabe que el Espíritu es la fuente de todo. Dentro del marco de este abastecimiento ilimitado, pensamos con claridad y facilidad. Cuando pedimos indicaciones, su voz nos guía hasta ideas divinas vibrantes, dinámicas y originales.

30 de abril

Libertad

El corazón próspero es libre. Al confiar en un poder superior, tiene fuentes ilimitadas. Al ser libre para hacer lo que quiera, escucha esa vocecilla que siempre le dice que crezca. De la mano del Espíritu, todo es posible.

Mayo

1 de mayo

La fe por encima del miedo

Cada uno de nosotros puede tomar la decisión consciente de escoger la fe por encima del miedo. Cuando dejamos nuestra vida en manos de un poder superior, de forma consciente escogemos ser del tamaño correcto. Al elegir la humildad en lugar de la arrogancia, acudimos al Espíritu que llevamos dentro para que nos guíe en todo momento.

2 de mayo

Querernos

Cuando aprendemos a conservar nuestros recursos, nos estamos cuidando con mucho cariño. Nos valoramos mucho más y, en realidad, nos convertimos en padres protectores para nosotros mismos. Aprendemos a utilizar el siguiente mantra: tratarme como si fuera un objeto precioso me hará más fuerte.

3 de mayo

Una guía segura y capaz

Cuando acudimos al Espíritu para pedirle ayuda en el terreno económico, descubrimos que la vocecita se amplifica. Nuestra sabiduría interior se convierte en la guía segura y capaz que seguimos paso a paso.

4 de mayo

Drama

En realidad, la adicción a la mala gestión económica es una adicción al drama. La adrenalina se nos dispara mientras nuestra autoestima se desploma. Al romper la barrera de la negación, perseguimos la serenidad que aporta la solvencia.

5 de mayo

Hacer limpieza

Si nos aferramos a objetos inútiles, nos estamos aferrando a una autoestima inestable. Si tiramos lo viejo, dejamos espacio para lo nuevo. Hacer limpieza abre la puerta literalmente a la inspiración. Cuando reforzamos un contacto consciente con un poder superior a nosotros, el pensamiento se nos ilumina.

6 de mayo

La respiración del Espíritu

Cada uno de nosotros somos un conducto para la respiración del Espíritu. El Espíritu se mueve a través de cada uno de nosotros de una forma única e indispensable. Cuando seguimos a nuestro guía, nos acercamos cada vez más a nuestro yo más auténtico. El Espíritu fluye por nosotros y cada uno le da su propia forma, como la luz que atraviesa un prisma de cristal.

7 de mayo

Discernimiento

Cuando no gestionamos bien el dinero, a menudo nos sentimos estúpidos. Nos avergonzamos de nuestra ausencia de control. Cuando nos comprometemos con la solvencia, descubrimos nuestro auténtico valor. Cuando pedimos que nos guíen, nos guían. Cuando pedimos sabiduría, somos sabios. Nos ofrecen el regalo del discernimiento.

8 de mayo

Ser positivo

Cuando rezamos para que nos guíen en nuestros asuntos económicos, nos enseñan a tomar decisiones discernidas. El mundo ya no nos parece un lugar hostil. En lugar de hostilidad y estrés, recibimos un mundo de amor. Cuando somos más positivos, nuestro mundo también lo es. Experimentamos el Espíritu como «una dirección buena y ordenada».

9 de mayo

Querer a los demás

El corazón próspero es cariñoso. Cuando depositamos
nuestra fe en el Espíritu, como fuente de toda la vida,
somos libres para querer a los demás sin obligaciones.
Cuando entendemos que el bien nos viene de muchas
direcciones, liberamos a los demás de sus visiones ego-
céntricas.

10 de mayo

Siempre lo mismo

Cuando estamos atrapados en la locura económica, también lo estamos en la desesperación. A pesar de que nuestra negación nos diga que cada vez será diferente, en el fondo sabemos que cada fracaso a la hora de conseguir gestionar nuestro dinero es siempre lo mismo.

11 de mayo

Amor sin ataduras

Guiados por el Espíritu, queremos a los demás con la mano abierta. Aprendemos a depender del Espíritu, no de las fuentes humanas. Y a consecuencia de nuestro amor libre, ellos también pueden devolvernos ese mismo amor.

12 de mayo

Nuestro poder considerable

Cuando vivimos acorde a nuestros medios, descubrimos nuestro considerable poder. En lugar de la oscuridad de la deuda, compartimos la luz de la solvencia. Cuando nuestros asuntos económicos se convierten también en los asuntos económicos del Espíritu, descubrimos soluciones en lugar de problemas.

13 de mayo

Mi destino único

Cuando busco en mi interior, buscando una guía divina, me dirijo paso a paso hacia mi destino único. Mientras espero indicaciones, internas y externas, percibo que el Espíritu ilumina mi camino.

14 de mayo

Apuros

Muchos tememos una vida sin deudas. Tememos una vida de apuros. Y, sin embargo, lo que provoca los apuros son las deudas. El estrés y la ansiedad de la mala gestión económica nos angustian y nos hacen vivir con miedo. A medida que vamos dando pasos hacia la solvencia, y dejamos las finanzas en manos del Espíritu, descubrimos una inesperada comodidad.

15 de mayo

Compartir el bien

Cuando reconocemos al Espíritu como fuente, el bien fluye hacia nosotros. Descubrimos que la vida es un río de bondad. La abundancia fluye hacia nosotros y, a través nuestro, también hacia los demás. Al beneficiarnos de fuentes infinitas, podemos permitirnos compartir nuestro bien.

16 de mayo

Suficiente para todos

El mundo es rico y abundante. Hay suficiente para todos. Cuando nos concentramos en lo que tenemos, parece que tenemos más. Ser agradecidos nos transmite esa sensación de abundancia.

17 de mayo

Ligereza en el corazón

Cuando tenemos una relación tóxica con el dinero, vemos el mundo como un lugar oscuro y hostil. Las deudas hacen que estemos desanimados. Vivimos una espiral de vergüenza y desesperación. Cuando confiamos nuestra situación económica al poder superior, sentimos una repentina ligereza en el corazón. El mundo ya no es oscuro ni amenazador. En lugar de apuros, experimentamos gracia. El humor ilumina el mundo.

18 de mayo

El don del entusiasmo

El corazón próspero tiene el don del entusiasmo. Al confiar en el Espíritu y vivir en gracia, esperamos crecer. La vida se convierte en una aventura. Nos pasan y vivimos cosas maravillosas.

19 de mayo

Placer

Cuando la solvencia transforma nuestro mundo, somos libres para experimentar el placer. Cuando el estrés y la ansiedad se desvanecen, aparecen la alegría y la aventura. Cuando somos agradecidos, tenemos una mayor sensación de seguridad. Descubrimos la serenidad.

20 de mayo

Un mundo transformado

En plena locura económica, estamos atrapados en la negatividad. Nos inquieta lo que nos deparará el futuro.
Cuando alcanzamos la solvencia, ya no tenemos miedo.
Nos convertimos en un conducto para el bien. Nuestro
mundo se ha transformado.

21 de mayo

Armonía

Cuando nos comprometemos, día a día, a vivir sin deudas, descubrimos la melodía de una vida en armonía con nuestros compañeros. No hay demandas discordantes. En lugar de eso, nos guían paso a paso hacia delante.

22 de mayo

El Gran Creador

Solemos llamar «Gran Creador» al Espíritu sin darnos cuenta de que «creador» es otra forma de referirnos a un artista. Somos las creaciones del Creador y, a su vez, se supone que también debemos ser creativos. La creatividad es el regalo que el Espíritu nos hace. Utilizarla es nuestro regalo para él.

23 de mayo

Conciencia de la abundancia

Las bendiciones atraen bendiciones. Cuando nos concentramos en lo que tenemos y no en lo que nos falta, nuestras bendiciones crecen. La prosperidad se nos presenta de muchas formas distintas. Cuando somos agradecidos, somos conscientes de la abundancia.

24 de mayo

Compasión

Cuando nuestra economía está fuera de control, vemos
el mundo como un lugar hostil. Vivimos con ansiedad,
depresión y desesperación. Las personas a las que debemos dinero se convierten en nuestros enemigos. Cuando
nos reclaman el dinero tenemos la sensación de que nos
acosan. No tenemos compasión. Una de las primeras
consecuencias de la solvencia es la compasión por los demás. Como ya no los vemos como enemigos, sus necesidades, voluntades y deseos nos parecen humanos. Vivimos el alivio de la compasión, tanto hacia ellos como
hacia nosotros.

25 de mayo

Una energía divina

Cuando acudimos al Espíritu para que nos ayude con nuestra economía, enseguida descubrimos que hemos conectado con una energía divina. El Espíritu es sabio, vibrante y expansivo. Y nosotros también, porque confiamos en él para que gestione nuestros asuntos.

26 de mayo

Gasto excesivo

Para recuperarnos de la locura económica, muchos de nosotros debemos recuperarnos del gasto excesivo. El gasto excesivo suele ser un derroche. Generamos deudas por caprichos. Cuando alcanzamos la solvencia, gastamos de forma oportuna y dentro de nuestras posibilidades.

27 de mayo

Tener suficiente

La deuda nace del miedo: miedo a no tener suficiente. Si sólo miramos por nosotros mismos, robamos a nuestros compañeros, les robamos su seguridad y violamos su confianza. Cuando dejamos nuestros asuntos terrenales en manos del Espíritu, él nos guía paso a paso, como un padre o una madre guían a su bebé. Pronto descubriremos la nueva sensación de sentirnos como hijos de lo divino.

28 de mayo

Nuevo propósito

Cuando nos comprometemos con una vida de solvencia, descubrimos que nuestra vida adquiere un propósito y un significado nuevos. Libres de la ansiedad y del estrés, descubrimos que tenemos optimismo. A salvo bajo el manto protector del Espíritu, nos atrevemos a soñar. Al estar tocados por la gracia, nuestros sueños tienen objetivos más ambiciosos.

29 de mayo

La sinfonía de la vida

Al confiar en el Espíritu, cada uno de nosotros se convierte en un individuo único y original. No hay dos almas iguales. Cada una emite una nota pura y auténtica de la sinfonía de la vida. Todos formamos parte de la armonía del Espíritu.

30 de mayo

Esperanza

Cuando permitimos que el dinero nos domine, solemos acabar desesperados. Nunca tenemos lo «suficiente» para estar seguros. Siempre queremos más. Cuando dominamos el dinero, sentimos esperanza. Guiados por el Espíritu, somos optimistas y tenemos la esperanza de un futuro lleno de bendiciones.

31 de mayo

Adversidad

Durante nuestra recuperación económica, recibimos lo que necesitamos. El Espíritu ve la adversidad como una oportunidad. Una puerta se cierra y otra se abre. Caminamos hacia la prosperidad paso a paso.

Junio

1 de junio

Redención

El Espíritu creó el mundo. El Espíritu lo ve y lo sabe todo. No hay situación demasiado complicada para la magia redentora del Espíritu. Cuando buscamos ayuda espiritual en nuestros asuntos cotidianos, descubrimos la redención. Y al no estar más solos ni sentirnos solitarios, tenemos la compañía del Espíritu que nos acompaña.

2 de junio

Felicidad

La felicidad es un derivado de la acción correcta. No es un fin en sí misma. Cuando buscamos saber y hacemos la voluntad del Espíritu, descubrimos la alegría. Buscamos la serenidad y encontramos la paz. Lentamente, la felicidad se convierte en nuestro estado habitual.

3 de junio

Servicio

Cuando cumplimos la voluntad del Espíritu, a menudo estamos llamados a ofrecer servicio. Cuando buscamos servir a los demás, nos encontramos a nosotros mismos. Los planes egocéntricos se diluyen. Liberados del vendaje del egoísmo, descubrimos la generosidad.

4 de junio

Bendiciones

Durante la locura económica, solemos culpar al Espíritu por nuestra vida de coacciones. Cuando alcanzamos la solvencia, empezamos a poner en práctica la gratitud, somos agradecidos y vemos el vaso medio lleno, no medio vacío. Cuando ponemos en práctica la gratitud, las bendiciones se multiplican. Nuestras vidas se enriquecen. Damos las gracias al Espíritu por los muchos obsequios que nos ofrece.

5 de junio

Serenidad

El corazón próspero es sereno. Con la seguridad de que el Espíritu guía y protege nuestros asuntos, descubrimos la paz. Estamos seguros y a salvo. No hay emergencias.

6 de junio

Regreso a la sensatez

En medio de la locura económica, con nuestra economía mal gestionada, nos volvemos locos. Caemos en una espiral de culpa y desprecio hacia nosotros mismos. Cuando empezamos a trabajar hacia la solvencia, empezamos a sentirnos sensatos y serenos. La solvencia es el regreso a la sensatez.

7 de junio

Buena disposición

Cuando dejamos nuestra vida en manos del Espíritu, descubrimos la buena disposición a aceptar que una mano superior trabaja en nuestros asuntos. Cuando abrimos la mente y el corazón a las señales del Espíritu, descubrimos soluciones en lugar de problemas.

8 de junio

Aplastar la negación

El recuento es una herramienta sencilla y, al mismo tiempo, muy profunda. Cuando llevamos un control sobre los gastos, el dinero que entra y el dinero que sale, estamos aplastando nuestra negación. El autoconocimiento sustituye a la vaguedad.

9 de junio

Ser alegre

Cuando nos concentramos en el mundo natural (las fases de la luna o las nubes que navegan serenamente por el cielo), empezamos a notar que al Gran Creador le gusta jugar. Nosotros también podemos avanzar por la vida con más ligereza, deleitándonos en el mundo a medida que lo vamos descubriendo, concentrándonos en lo positivo y no en lo negativo.

10 de junio

Valor

Cuando nos comprometemos con la solvencia, descubrimos el valor. El Espíritu es nuestro protector y nuestro guía. Cuando creemos en la «dirección buena y ordenada» (Dios), nos enfrentamos a los obstáculos con ecuanimidad. Cuando somos lo suficientemente valientes para enfrentarnos a nuestra economía con honestidad, recibimos el don del valor.

11 de junio

Simplicidad

Creer significa confiar, no desafiar. En realidad, es muy simple: el Espíritu es la fuente de nuestro bien. Las herramientas de la solvencia son simples. Cuando las practicamos, nos convertimos en personas humildes y auténticas.

12 de junio

Soluciones

Para el Espíritu, nuestra adversidad es una oportunidad para ayudar. La naturaleza del Espíritu es dar, y nuestro trabajo es recibir. Cuando planteamos nuestros problemas al Espíritu, encontramos soluciones. Al estar guiados y protegidos, descubrimos que somos los hijos de lo divino.

13 de junio

Una nueva serenidad

Para muchos de nosotros, el final de la locura económica es el final de las actitudes erráticas. Cuando ya no somos adictos al drama ni a la adrenalina, descubrimos que nuestra vida tiene una nueva consistencia y serenidad.

14 de junio

Regalos valiosos

Cada uno de nosotros es una parte importante del conjunto. Cuando compartimos la solvencia con los demás, predicamos con el ejemplo. Hay abundancia suficiente para todos, y nuestra fe en la generosidad del universo es contagiosa.

15 de junio

La mente divina

Cuando acepto al Espíritu como fuente de mi bien, recibo una guía divina. Mi bien procede de todas direcciones, personas y actos. Estoy atento a las indicaciones en sus muchas formas, tanto desde mi interior como desde el mundo exterior. El Espíritu conoce la respuesta a mis problemas y preguntas. Cuando abro mi mente al influjo del Espíritu, descubro una sabiduría mayor que la mía. La mente divina piensa en mí. Y yo pienso en la mente divina.

16 de junio

Bondad

El corazón próspero es caritativo y generoso en sus relaciones con los demás. Ofrece un apoyo sincero y genuino. El Espíritu es amor, y ese amor divino es lo que nos mueve a comportarnos de forma benevolente. Cuando ejecutamos acciones pequeñas y positivas, cambiamos el mundo a mejor.

17 de junio

Expandir la bondad

A menudo, nos sentimos pequeños e ineficaces. Y nos preguntamos, ¿qué puede hacer alguien para cambiar nuestro mundo, cargado de problemas? Cuando el Espíritu actúa a través de nosotros, podemos hacer mucho. Cuando hacemos la voluntad del Espíritu, descubrimos que nuestra bondad se expande.

18 de junio

Imaginación

El Espíritu nos concede el don de la imaginación. Muchos de nosotros abusamos de él al practicar el pesimismo y denominarlo realismo. Cuando, de forma consciente, escogemos imaginar el desarrollo benevolente y optimista de acontecimientos, estamos utilizando la imaginación de forma correcta. Cuando visualizamos un futuro optimista, practicamos una forma de plegaria afirmativa.

19 de junio

Gracia

Cuando confiamos en el Espíritu, sentimos compasión por los demás y nos comportamos con amabilidad auténtica. El Espíritu nos guía con generosidad. Cuando abrimos el corazón, descubrimos la claridad. Estamos en el Espíritu, y él está en nosotros. La inteligencia divina interviene en nuestros asuntos. La gracia divina bendice a aquéllos con los que nos cruzamos.

20 de junio

Lo fácil triunfa

La recuperación de la locura económica es la recuperación de la urgencia y la sensación errónea de emergencia. Cuando nos desintoxicamos de la vida cargada de adrenalina, empezamos a poner en práctica un nuevo eslogan: lo fácil triunfa.

21 de junio

Identidad

A menudo, buscamos forjarnos una identidad basada en nuestros logros diarios. Somos lo que hacemos y lo que hemos hecho. Nos identificamos con nuestro trabajo. Cuando confiamos en el Espíritu, enseguida adoptamos otro punto de vista sobre esta falta de visión. Nos damos cuenta de que somos hijos de lo divino. Independientemente de nuestro trabajo, merecemos amor y respeto. Cuando buscamos conocer y ejecutar la voluntad del espíritu, conseguimos la recompensa de la autoestima genuina.

22 de junio

Conexión

Instalados ya en la solvencia, descubrimos que somos menos dependientes de nuestros compañeros. A medida que vamos alcanzando nuestro yo más auténtico, somos capaces de conectar con las personas que vamos conociendo sin necesidades ni dependencias. Somos capaces de aislarlos de nuestras perspectivas y quererlos como ellos quieren.

23 de junio

Autenticidad

El corazón próspero es auténtico. Sus sueños y objetivos se basan en los valores personales. Cuando intentamos ser honestos con nosotros mismos, podemos serlo también con los demás. Cuando somos solventes, descubrimos nuestra verdad y a nosotros mismos.

24 de junio

El tamaño correcto

Cuando confiamos en el Espíritu, somos del tamaño correcto. Respondemos con humildad y sin falso orgullo a las demandas del mundo. Cuando estamos bendecidos por la gracia, podemos enfrentarnos a los obstáculos con honestidad. Una vez liberados de las grandes expectativas, buscamos el lado positivo en todas las cosas.

25 de junio

Expectación

El corazón próspero es agradecido. Pone en práctica el mantra: «Mi vida es un tesoro». Cuando es agradecido descubre el bien. Espera crecer, y lo hace.

26 de junio

Nuestro destino único

Cada alma tiene un camino único. Cuando nos comprometemos con el Espíritu, descubrimos ese camino. Nos
guían con cariño y mimo, paso a paso. Cuando seguimos
esas indicaciones, sentimos la necesidad de actuar en
nuestra fe. Cuando escuchamos nuestros instintos, tanto
internos como externos, nuestra vida se convierte en algo
único y aventurado. Nos suceden cosas maravillosas, a
nosotros y a los demás.

27 de junio

Cosecha

Cuando nos comprometemos con el Espíritu, nos comprometemos también a confiar en su sabiduría superior. Desde la solvencia, podemos prever una buena cosecha natural y deseada. Los sueños de hoy se convierten en la realidad de mañana. La cosecha del Espíritu es rica y abundante.

28 de junio

Fin de la soledad

La energía, el poder y el amor del Espíritu fluyen por toda la vida. Cuando nos comprometemos con la solvencia, descubrimos que estamos unidos con el conjunto. Ahora que ya no nos ahogan la soledad ni el aislamiento angustioso, estamos conectados en Espíritu con una familia enorme.

29 de junio

Este mundo maravilloso

El espíritu está en mí y yo estoy en el Espíritu. Cuando miro con sus ojos, veo la belleza que me rodea: un prisma de cristal, una azucena radiante, un helecho delicado. Cuando aprecio la maestría del Espíritu, también me acabo apreciando a mí mismo. Y, al apreciarlo todo, crezco.

30 de junio

Cambio a mejor

Atrapados en la locura económica, estamos en la cinta de correr. Nuestra vida está llena de miedos y temores. Cada día parece igual. Cuando alcanzamos la solvencia, la vida es rica y variable. Aceptamos el cambio, conscientes de que es un cambio a mejor.

Julio

1 de julio

Un plan más grande

Cada uno de nosotros es una puerta de salida única para que el bien del Espíritu acceda al mundo. Cuando abrimos la mente y el corazón, la sabiduría y el poder del Espíritu se expanden a partir de nosotros. Cuando cooperamos con el Espíritu en nuestra revelación, formamos parte de un plan más grande.

2 de julio

El impacto del Espíritu

El corazón próspero se reconforta en su conexión con el Espíritu. Al haber dejado atrás la ansiedad y los nervios, se encuentra seguro y a salvo. El poder del Espíritu es su protección. Las indicaciones del Espíritu son su seguridad. En manos del Espíritu estamos a salvo.

3 de julio

Paz

Cuando soy agradecido, voy en paz. La abundancia del Espíritu me ofrece un camino amplio y suave. Cuando confío en el Espíritu, yo también me convierto en una persona digna de confianza. Cuando el Espíritu lo armoniza todo, voy por el mundo sin enemistades.

4 de julio

Una brújula interna

Todos llevamos una brújula interna. Las agujas nos señalan el camino hacia nuestros valores auténticos. Cuando estamos atentos a esa brújula interna, acabamos dando «el siguiente paso correcto». Si nuestros pequeños pasos están en sintonía con nuestros valores, acabaremos representando la voluntad del Espíritu en el conjunto. A menudo, el siguiente paso correcto es algo pequeño. Quince minutos de ordenar la casa, quince minutos haciendo limpieza de la bandeja de entrada de correo electrónico… Estas acciones pequeñas componen los grandes movimientos de nuestra vida.

5 de julio

Nunca estoy solo

El Espíritu no conoce distancias. En el corazón del amor divino, siempre estoy seguro y a salvo. Cuando trabajo para alcanzar la solvencia, nunca estoy solo, siempre cuento con una compañía divina.

6 de julio

Amor sin esfuerzo

El amor divino ama a través de mí. Cuando confío en el Espíritu, me expando sin esfuerzo. Mejor dicho, no me esfuerzo por querer. El Espíritu es expansivo y yo me expando a través de él.

7 de julio

Una vida

El Espíritu es la fuente de la vida. Cuando acudo a él en busca de fuerza e indicaciones, siento que estoy conectado con la vida. El roble, la rosa, el ciervo, la ardilla... Una vida nos une. Estoy conectado con todos los seres vivos.

8 de julio

Ayuda espiritual

El corazón próspero siempre cuenta con ayuda espiritual. Cuando busca indicaciones y protección, tiene una compañía divina. Guiado y protegido, el camino nunca es incorrecto. Cuando lo guían hasta la solvencia, descubre la serenidad.

9 de julio

Abundancia divina

Cuando busco en mi interior y reclamo un contacto con el Espíritu, obtengo unos ojos que ven la belleza a mi alrededor. Este mundo es bonito y próspero, y refleja la belleza de su creador. Yo también estoy destinado a crecer. Aunque no suelo darme cuenta, yo también estoy hecho a imagen y semejanza del Creador. Cuando busco la solvencia, encuentro la abundancia divina.

10 de julio

Un corazón libre

Cuando nuestra situación económica es complicada, nos parece que nuestra vida también lo es. Cuando nuestra situación es serena, descubrimos la alegría. Cuando dejamos nuestros asuntos en manos del Espíritu, nuestros corazones se liberan de las preocupaciones y las ansiedades.

11 de julio

Día a día

Cuando vivimos sin deudas, descubrimos que alguien nos está guiando de forma maravillosa. El precioso bien acude a nosotros a través de nuestro compromiso con el espíritu. Cuando pedimos indicaciones, las recibimos. Percibimos las señales del Espíritu, tanto internas como externas. Sabemos de forma intuitiva cómo manejar cada situación. La gracia nos da el valor, día a día, de vivir alejados de las deudas.

12 de julio

Los beneficios de la solvencia

Cuando utilizamos el recuento para controlar el dinero que entra y el dinero que sale, estamos creando un plan de prosperidad. Cuando establecemos contacto con nuestros valores auténticos, damos la bienvenida a las actividades y las personas indicadas a nuestra vida. Invertimos el dinero y el tiempo de forma más inteligente.

13 de julio

Mi yo auténtico

Cuando me comprometo con el Espíritu, también asumo un compromiso conmigo mismo de llegar a ser mi yo auténtico. Con la ayuda del Espíritu, descubro mi camino. Soy original; y eso quiere decir que soy el origen de mi mundo.

14 de julio

Un ciudadano generoso

Cuando me libero de la ansiedad que va ligada al dinero, descubro que tengo el corazón más abierto. Cuando el miedo ya no me ahoga, descubro que soy un ciudadano generoso del mundo. Espero las señales, tanto internas como externas, y tengo la sensación de estar a salvo y crecer. Cuando abro mi corazón al Espíritu, me guía.

15 de julio

Una guía interna

Una vez liberado de las turbulencias de la deuda, y con la confianza depositada en el Espíritu, descubro una guía interna. Soy más sabio de lo que creía. Cuando sigo a mi guía, encuentro un camino seguro.

16 de julio

Digno de confianza

Cuando vivimos dentro de nuestras posibilidades, somos personas dignas de confianza. Ya no debemos dinero, no estamos robando posibilidades al futuro ni abusando de aquéllos con quienes estábamos en deuda. Cuando confiamos en el Espíritu, somos más sabios. Cuando buscamos el consejo del Espíritu en nuestro interior, somos más fuertes y más resistentes. Somos buenos. Somos competentes. Se puede confiar en nosotros.

17 de julio

Protección espiritual

Cuando confiamos en el Espíritu e invocamos indicaciones y ayuda divinas, descubrimos que somos los receptores de la protección espiritual. Cuando confiamos en que el Espíritu nos guía y nos protege, a nosotros y nuestros asuntos, descubrimos una sensación de seguridad. Con el Espíritu en el centro de nuestras vidas, nada puede hacernos daño.

18 de julio

El poder del Espíritu

Cuando pedimos que se nos libere de las esposas del ego-
centrismo, acudimos al Espíritu y descubrimos la libertad. El poder del Espíritu se convierte en nuestro poder.
Nuestros miedos humanos ya no nos limitan y somos
libres para crecer con protección divina.

19 de julio

Elección consciente

Cuando cambiamos de forma de pensar, cambiamos nuestro mundo. Cuando elijo invocar la ayuda divina en mis asuntos económicos, descubro que hago muchas elecciones conscientes que me trasladan del pesimismo al optimismo. Estoy atento para descartar cualquier negatividad. Mi palabra es positiva y poderosa.

20 de julio

Nuestro valor

Cuando podemos gestionar nuestro dinero, tenemos claridad. Nuestro yo único resplandece. El Espíritu nos quiere. Somos las joyas de la corona del Espíritu: rubíes, diamantes, esmeraldas, etc. Somos valiosos.

21 de julio

Seguridad

La prosperidad no se basa en el dinero, sino en la sensación de seguridad que obtenemos al saber que hay quien nos cuida. La prosperidad es una cuestión de fe. Cuando creemos en un universo benevolente, un universo que se preocupa por nuestras necesidades y deseos, nos sentimos prósperos.

22 de julio

¿Cuánto es suficiente?

Cuando decimos que tenemos suficiente, que siempre tenemos suficiente, ¿qué queremos decir? En pocas palabras, queremos decir que reconocemos que el Espíritu es nuestra fuente. En sus cariñosas manos, estamos seguros y a salvo, protegidos de cualquier mal, siempre guiados y cuidados. Tenemos la sensación de prosperidad, creemos en un universo abundante. Reconocemos a nuestra fuente como algo espiritual, no económico. Como el niño que ofreció panes y peces a Jesús, nosotros ofrecemos al Espíritu nuestras escasas provisiones para que se multipliquen y crezcan.

23 de julio

Confianza

A muchos nos han educado para confiar en el poder del dinero, a pesar de que, por ejemplo, en los billetes de un dólar aparezca la inscripción: «Confiamos en Dios». La verdad es que no confiamos en Dios. Tenemos que aprender que vivimos en un universo benevolente. Siempre hay una presencia divina que cuida de nuestro bienestar. Para esa fuerza, las dificultades siempre son oportunidades. Cada apuro es una oportunidad para crecer a nivel espiritual.

24 de julio

Nueva energía

A menudo, la recuperación de la locura económica supone el despegue de la creatividad. Liberamos nuestra energía de las acciones crónicas. Este influjo de energía nueva conlleva ideas nuevas, vibrantes y vitales.

25 de julio

Decisiones sabias

Cuando dejamos nuestra situación económica en manos del Espíritu, descubrimos la calma. Descubrimos que estamos en contacto con una sabiduría interna. Tenemos claras nuestras prioridades. Una vez liberados de la ansiedad, la depresión y la sensación de emergencia, tomamos decisiones sabias.

26 de julio

Ya no tenemos miedo

Cuando no podemos controlar nuestro dinero, percibimos el mundo como un lugar hostil. Tenemos miedo de abrir el correo. Tenemos miedo de contestar al teléfono. Cualquier cosa que parezca oficial o relacionada con nuestra situación económica nos asusta. Estamos nerviosos, incluso sentimos pánico. Cuando dejamos la economía en manos del Espíritu y alcanzamos la solvencia, el cambio es maravilloso. Como ya no tenemos miedo, descubrimos un mundo benevolente.

27 de julio

Ya no son el enemigo

Cuando no podemos controlar nuestro dinero, vemos a los demás como enemigos. Las deudas son exigencias. A menudo, culpamos a otros de nuestra incapacidad de gestionar nuestras finanzas. Cuando alcanzamos la solvencia, podemos ver a los demás con compasión y amor. Ya no son el enemigo.

28 de julio

La chispa divina

Cuando somos solventes, vemos con claridad. Para los demás, solemos ser una fuente de luz. La paz, la prosperidad y el poder fluyen de nosotros. Somos un conducto para la divinidad. Cuando expresamos la chispa divina que llevamos dentro, la gracia fluye por nuestra vida y toca a todos con los que nos topamos.

29 de julio

Autoestima

Cuando vivimos por encima de nuestras posibilidades, descubrimos la espina de la ansiedad. La serenidad y la sensación de bienestar nos pinchan. Cuando vivimos dentro de nuestras posibilidades, descubrimos el confort. Las sorpresas desagradables y las llamadas abusivas han desaparecido. Tenemos autoestima.

30 de julio

Anclados

Cuando hacemos recuento sentimos una calma interior. Estamos anclados, incluso en tiempo de turbulencias. Sentimos que estamos seguros y acompañados. La gracia nos ayuda a seguir adelante. A través del recuento nos guían. El Espíritu nos ancla.

31 de julio

Risa

Cuando tenemos deudas, nuestro mundo es oscuro y sin humor. Siempre tenemos una sensación de ansiedad y emergencia. Nuestras finanzas no son un asunto para reírse. Cuando no tenemos deudas, descubrimos la ligereza de corazón. El mundo está lleno de bendiciones, entre ellas el buen humor. La risa bendice nuestro camino.

Agosto

1 de agosto

Lleno de Dios

La palabra *entusiasmo* procede del griego y significa «lleno de Dios». El corazón próspero es entusiasta. Espera crecer. Su vida es una aventura. Ve bondad mire donde mire.

2 de agosto

En sintonía con el Espíritu

El Espíritu es una energía expansiva. Cuando estamos en sintonía con él, nosotros también nos expandimos. El Espíritu es armonioso. Cuando estamos en sintonía con él, estamos en armonía con los que nos rodean.

3 de agosto

Buenas intenciones

La vida es intencional, no accidental. Nuestras elecciones reflejan nuestros valores. Y nuestros valores reflejan un propósito y un objetivo. Cuando tenemos buenas intenciones, avanzamos hacia una mayor bondad.

4 de agosto

Secretismo

Para muchos de nosotros, el dinero es un asunto compli-
cado. A menudo, las conversaciones sobre dinero son un
tabú. La vergüenza que sentimos nos lleva al secretismo
que, a su vez, nos lleva a la vergüenza.

5 de agosto

El influjo del Espíritu

La sangre forma parte de nuestro cuerpo físico, y la creatividad forma parte de nuestro cuerpo espiritual. Todas
las almas son creativas. Cuando abrimos la mente y el
corazón al Gran Creador, descubrimos un influjo de originalidad y vitalidad.

6 de agosto

Pequeños cambios

La locura económica nos hunde en el drama. Soñamos con un ingreso de dinero tan extraordinario que saldará todas nuestras deudas de un plumazo. Cuando hemos alcanzado la solvencia, aprendemos a apreciar los pequeños cambios. Cada paso en la buena dirección, por pequeño que sea, nos sube la autoestima.

7 de agosto

Las bendiciones se multiplican

El corazón próspero es muy agradecido. Está concentra-
do en lo positivo y ve cómo sus bendiciones se multiplican. Las bendiciones adoptan muchas formas, y pueden
llegar a través de personas o gestos. Pueden ser grandes o
pequeñas. Cuando practicamos la gratitud, tenemos la
sensación de abundancia.

8 de agosto

Compasión

El corazón próspero siente compasión por los demás y por él mismo. Siente ternura por los miedos humanos. Al estar protegidos y guiados, podemos proteger y guiar a los demás.

9 de agosto

Una guía cuidadosa

Cuando alcanzamos la solvencia, descubrimos la gracia; un flujo de bondad injustificado que trabaja para nuestro bien. El Espíritu nos ofrece los bienes de la serenidad, la sabiduría y el discernimiento. Nuestro camino es agradable. Nos guían con cuidado.

10 de agosto

Hijo de lo divino

Nuestro universo es abundante. Las bendiciones adoptan múltiples formas. El corazón próspero confía en el Espíritu y, así, crece. Cuando es solvente, aspira a ser un hijo de lo divino.

11 de agosto

Caridad

El corazón próspero es caritativo. Confía en el Espíritu y está lleno de amor. Cuando es agradecido experimenta la abundancia. Cuando está convencido de que está seguro y a salvo, se extiende en generosidad hacia los menos afortunados.

12 de agosto

Liberado de la esclavitud

Cuando el corazón próspero se libera de la esclavitud de la poca visión de futuro y los objetivos egocéntricos, y se vuelve generoso en lugar de tacaño, sirve a los demás tan bien como a él mismo.

13 de agosto

Posponer nuestros sueños

Cuando la locura económica nos ahoga, solemos posponer nuestros sueños hasta que tengamos «suficiente» dinero. Alcanzada la solvencia, ya no aplazamos nada. Perseguimos nuestros sueños paso a paso.

14 de agosto

Mirar hacia delante

Seguro de su conexión con el Espíritu, el corazón próspero no teme al futuro. En lugar de mirar hacia delante con miedo, lo hace con confianza. Nuestro mapa del dinero nos indica dónde va nuestro dinero. El plan de prosperidad canaliza nuestro flujo por caminos todavía mejores. El dinero nos sirve, no nos domina.

15 de agosto

Nuestra auténtica naturaleza

El Espíritu está dentro de todos nosotros. Majestuoso y tierno, es la chispa divina que nos da vida a todos. Somos hijos de lo divino. La solvencia nos revela nuestra auténtica naturaleza, que es espiritual.

16 de agosto

Encontrándonos

Se necesita mucho valor para comprometerse con el Espíritu. El miedo humano nos dice que nos perderemos. Pero es todo lo contrario. Cuando nos comprometemos con el Espíritu, somos más nosotros mismos.

17 de agosto

Transformación

La mala gestión económica genera aislamiento. El aislamiento genera soledad. Cuando acudimos al Espíritu para que nos ayude con las finanzas, de repente descubrimos una sensación de acompañamiento divino. La soledad se reduce y, en su lugar, aparecen la serenidad y la aceptación.

18 de agosto

Conexión auténtica

Cuando nos comprometemos con el Espíritu, nos liberamos de muchas falsas dependencias. En lugar de forjar
amistades basadas en las necesidades, confiamos en el
Espíritu y nos damos libertad para encontrarnos con
otras personas de forma automática.

19 de agosto

Cuenta de la libertad

Atrapados en la locura económica, vivimos por encima de nuestras posibilidades. Cuanto más tenemos, más gastamos. Cuando alcanzamos la solvencia, canalizamos los ingresos que sobran en forma de ahorros, o «cuenta de la libertad». Gastamos de forma racional, no impulsiva.

20 de agosto

Querer al mundo

Se supone que la vida tiene que ser dulce y bonita. El mundo es maravilloso. Se supone que debemos querer sus muchos detalles. Cuando queremos al mundo, queremos al Espíritu, su creador. Cuando queremos al Espíritu, queremos al mundo.

21 de agosto

El deleite del Espíritu

Hay una vida que insufla aire a todas las creaciones. Esa luz es el Espíritu, que se deleita expresándose a través de múltiples formas. Nuestros sueños proceden de nuestra divinidad. El Espíritu anhela expresarse a través nuestro. Nuestros anhelos proceden de una fuente divina, y al Espíritu le complace cumplirlos.

22 de agosto

El mundo natural

Cuando alcanzamos la solvencia, perdemos la reacción de defensa. El mundo se convierte en el regalo del Espíritu para nosotros. Al celebrar todo lo que encontramos (la primavera silvestre, la mariposa, el águila), agradecemos el mundo natural y descubrimos nuestra propia gracia natural.

23 de agosto

Crecimiento divino

En manos del Espíritu, desaparece la competición. Todos recibimos la guía divina y crecemos. Hay abundancia suficiente para compartirla entre todos. El Espíritu fluye desde nosotros hacia todo lo que encontramos.

24 de agosto

Un portal para las bendiciones

Cuando me comprometo con el Espíritu, abro la mente y el corazón a su influjo. Me convierto en un portal para que la gracia del Espíritu entre en el mundo. Soy un portal para las bendiciones, para mí y para los demás.

25 de agosto

El jardín de Dios

Al Espíritu le encanta la diversidad. Cuando nos plantamos en la tierra del Espíritu, crecemos y florecemos en
abundancia. Somos el jardín de Dios y crecemos a través
de su poder.

26 de agosto

Nada de celos

Ahogados por la locura económica, tenemos tendencia a los celos. En cambio, cuando somos solventes, actuamos por nosotros mismos y avanzamos hacia nuestros sueños. Nuestras vidas son ricas y abundantes. Ya no tenemos celos.

27 de agosto

El corazón del Espíritu

No hay distancia hasta el corazón del Espíritu. Siempre estamos en el centro de su amor. Allí estamos seguros. Nos protege y crecemos.

28 de agosto

Atracción

La locura económica invita al aislamiento. Nos sentimos solos y amenazados. Nuestra situación económica es nuestro secreto. A medida que vamos avanzando hacia la solvencia, avanzamos hacia otra gente. Ahora somos dignos de confianza y la gente se siente atraída hacia nosotros como nunca. Nos transmiten ánimos y apoyo.

29 de agosto

El poder del Espíritu

El Espíritu, sabio y exigente, sabe hacer que nuestros asuntos crezcan. Una vez que somos solventes, y estamos inmersos en la vida divina, descubrimos la abundancia. El reino del Espíritu siempre está abierto. Descubrimos la prosperidad y la plenitud. El poder del Espíritu pasa a ser el nuestro.

30 de agosto

El Espíritu como mi mentor

El poder del Espíritu es personal e íntimo. Cuando busco ayuda en mi interior, encuentro a mi profesor y a mi guía. No hay nada demasiado grande o demasiado pequeño para la atención cariñosa del Espíritu. Paso a paso, me guía hacia delante. Con el Espíritu como mentor, no hay ningún error en mi camino.

31 de agosto

Todo crece

Hay un poder, una presencia, una vida que fluye por todo. Cuando afirmamos la abundancia, afirmamos nuestra conexión con esa fuente. Pedimos prosperidad para nosotros, conscientes de que el Espíritu escucha y responde a nuestras plegarias. Crecemos y transmitimos bondad a todo lo que nos encontramos.

Septiembre

1 de septiembre

Escuchar las respuestas

Muchos rezamos para pedir ayuda y seguimos con nuestras vidas como si nada, en lugar de esperar y escuchar la respuesta a nuestra plegaria. La ayuda llega desde muchos puntos. Puede ser una corazonada, una inspiración, una «sensación extraña» o una «vocecita». Pueden ser las palabras que oigas de boca de un extraño, o una coincidencia. La ayuda viene desde dentro y desde fuera. Nos guían con cariño y mimo.

Así, en nuestro camino no puede haber error. Sólo tenemos que escuchar y comprender que ninguna plegaria se queda sin respuesta.

2 de septiembre

Establecer límites

Durante la recuperación de la locura económica, aprendemos a practicar la nueva habilidad del establecimiento
de límites. Decidimos qué clase de comportamientos no
volveremos a repetir. Establecer esos límites y cumplirlos
son pasos importantes hacia una buena salud.

3 de septiembre

La solución del Espíritu

Cuando gestionamos mal nuestro dinero, nos sentimos solos y amenazados. Cuando dejamos nuestras finanzas en manos del Espíritu, disfrutamos de una sensación de conexión. Para él, no hay problema demasiado grave o complejo. El Espíritu soluciona todas las dificultades.

4 de septiembre

Lealtad

Cuando soy solvente, y me siento protegido, soy capaz de expandirme hacia los demás. Mi lealtad es un regalo del cielo para mis relaciones. La continuidad es el regalo que ofrezco a los que quiero.

5 de septiembre

Fuerza sin límites

Cuando mi situación económica es inestable, me siento
débil y superado por las circunstancias. Cuando está a
salvo en manos del Espíritu, me siento fuerte. Es una
fuerza abundante. Al conectarme al Espíritu como mi
fuente, tengo una fuerza y una resistencia sin límites.

6 de septiembre

Un reino de alegría

El Espíritu es el gran río, pero no puede darnos lo que no vamos a recibir. A menudo, estamos convencidos de que este mundo es un mar de lágrimas. Cuando confiamos en el Espíritu, descubrimos un mundo de alegría. Cuando abrimos el corazón y la mente a la posibilidad de que el reino del Espíritu rebose felicidad, descubrimos que la alegría nos inunda el corazón. Nuestras vidas se vuelven alegres.

7 de septiembre

Un corazón nuevo y valiente

Hoy, y cada día, anticipo algo bueno. Abro el corazón y la mente al influjo del Espíritu y reconozco los dones que me aporta. Cuando estoy conectado con él, espero y encuentro amores nuevos. Abro un corazón nuevo y valiente. Crezco.

8 de septiembre

Un influjo de gracia

Si no sé gestionar mi dinero, no sé gestionar mi vida. Mi energía está cerrada. El corazón está bloqueado. Cuando entrego mis finanzas al Espíritu, descubro un influjo de gracia. Ya no soy tacaño ni miserable. Ahora tengo el corazón abierto.

9 de septiembre

Paso a paso

El Espíritu nos guía paso a paso. Nos guía con cariño y mimo. No hay error posible en nuestro camino. Avanzamos con fe y confiando en el Espíritu como una fuente fiable.

10 de septiembre

Consideración

Cuando mis finanzas se estabilizan, vigiladas y protegidas por el Espíritu, me convierto en una persona digna de confianza. Ya no soy errático ni egocéntrico. El corazón próspero es considerado con los demás.

11 de septiembre

Comparar

A menudo, la locura económica nace de las comparaciones. Comparamos nuestro interior con el exterior de otra persona. Y siempre salimos perdiendo. Siempre habrá alguien que tendrá «más». Cuando alcanzamos la solvencia, sabemos que hay suficiente para todos.

12 de septiembre

Energía divina

Cuando intentamos alinearnos con la voluntad que el Espíritu alberga para nosotros, nuestra economía da frutos y es armoniosa. Al actuar siempre en pro nuestro, el Espíritu nos llena el corazón de gracia y abundancia. La energía divina nos protege y nos guía.

13 de septiembre

Buena salud

En plena locura económica, solemos descuidarnos. Evitamos hacer ejercicio porque tememos los sentimientos que nos despertará. Cuando somos solventes, perseguimos gozar de buena salud.

14 de septiembre

Unidad como prosperidad

El Espíritu transforma. Cuando me comprometo con él, me convierto en un portal para que su bien fluya por el mundo. Una vida fluye en todas las vidas. Cuando descubro la unidad, descubro mi prosperidad.

15 de septiembre

Ideas divinas

Cuando nos comprometemos con el Espíritu, nos conectamos a un flujo de creatividad infinito. La mente divina piensa a través de nosotros. En lugar de nuestro cuerpo finito, descubrimos un flujo infinito de ideas divinas. Confiamos en este flujo y, cuando lo hacemos, prosperamos.

16 de septiembre

Discernimiento

Cuando nuestras finanzas chirrían, nos sentimos amenazados y atrapados. Cuando las confiamos al Espíritu,
descubrimos la libertad. Cuando nos conectamos al Espíritu, ya no tenemos miedo. Avanzamos con confianza
y elegimos nuestro camino con discernimiento.

17 de septiembre

El plan de prosperidad

El recuento es una práctica diaria. El mapa del dinero es una práctica mensual. Y estas herramientas nos sirven para elaborar un plan de prosperidad que nos permite decidir de forma consciente a qué destinaremos nuestro dinero.

18 de septiembre

Un cambio a mejor

Cuando tenemos deudas, y con la situación económica fuera de control, percibimos el mundo como un lugar aterrador lleno de animosidad. Cuando decidimos alcanzar la solvencia y acudimos al Espíritu para que nos guíe, descubrimos un mundo nuevo y benevolente.

19 de septiembre

Vivir el presente

Atrapados en la locura económica, solemos visualizar un futuro grandioso. Seremos ricos, famosos, respetados. Durante la recuperación, nuestra visión del futuro es más real. Nuestra dignidad no depende del dinero. Cuando vivimos el presente, construimos un futuro próspero paso a paso.

20 de septiembre

Querer sin ataduras

Cuando nos confiamos al Espíritu, nos liberamos de la dependencia insana de otras personas. El bien fluye hacia nosotros desde muchos lugares y nos libera para querer a los demás sin necesidades.

21 de septiembre

La dilación en lugar de la claridad

La mala gestión económica genera dilación. Solemos decirnos que ya abriremos el correo después, o ya escucharemos los mensajes después. A menudo, nos sentimos perseguidos por los cobradores. En lugar de actuar con claridad, demoramos nuestras acciones. Dar un pequeño paso positivo por el bien de nuestra solvencia es la base para romper con la rutina de la dilación. Cuando somos activos, avanzamos hacia la claridad.

22 de septiembre

Un camino agradable

Cuando confiamos en el Espíritu descubrimos la seguridad. Descubrimos la compasión, la amabilidad y la ternura. Nuestro camino es ancho y agradable.

23 de septiembre

Sorpresas benevolentes

Cuando la locura económica nos ahoga, siempre estamos sufriendo por la aparición de alguna sorpresa negativa de la vida. Cuando somos solventes, estamos deseando vivir la vida, porque sus sorpresas son benevolentes.

24 de septiembre

La armonía del Espíritu

Cuando nuestras finanzas estás hundidas en el caos, percibimos un mundo discordante. Cuando confiamos nuestras finanzas al Espíritu, nuestras relaciones cada vez son más dulces y tiernas. Descubrimos la armonía.

25 de septiembre

Oportunidad

Un espíritu, una vida, una energía fluye por toda la creación. Es un río de bondad al que podemos tener acceso cuando nos comprometemos con el Espíritu. Cuando buscamos el lado bueno de todas las cosas, cualquier adversidad se convierte en una oportunidad.

26 de septiembre

La falta de honestidad

La locura económica se basa en la falta de honestidad. Fingimos ser más de lo que somos. Gastamos más de lo que tenemos. Pedimos dinero prestado sin saber si lo devolveremos o cuándo. La solvencia se basa en la honestidad. Vivimos con lo que tenemos. Cuando somos sinceros, estamos llenos de esperanza.

27 de septiembre

Gracia

Cuando hacemos coincidir nuestra voluntad con la voluntad que el Espíritu alberga para nosotros, descubrimos la gracia. El bien fluye hacia nosotros y nos llena el corazón de compasión, amabilidad y ternura. El mundo, que antes era discordante, es armonioso.

28 de septiembre

Sin ansiedad

La mala gestión del dinero no es una broma. Cuando tenemos problemas económicos, parece que el mundo también está lleno de problemas. Cuando dejamos las finanzas en manos del Espíritu, descubrimos un gran alivio y una enorme ligereza de corazón. Cuando nos liberamos de la ansiedad, el humor ilumina nuestro camino.

29 de septiembre

Expectativa alegre

Cuando confiamos en el Espíritu, descubrimos el entusiasmo. Vemos el bien por todas partes. Esperamos crecer y que nuestro crecimiento haga crecer a los que nos rodean. Albergamos una expectativa muy alegre del futuro. Sabemos que el bien llegará.

30 de septiembre

El dinero como poder

Cuando vivimos en la locura del dinero, el mundo es un lugar competitivo. Perseguimos el dinero como reflejo de poder. Cuando somos solventes, el mundo es mucho más agradable. Ya no perseguimos el dinero como reflejo de poder. Esa posición adversa ya no es necesaria.

Octubre

1 de octubre

Liberados del miedo

Cuando nuestras finanzas están mal, los miedos nos atormentan. Cuando dejamos las finanzas en manos del Espíritu, nos liberamos del miedo y descubrimos el placer. Ahora, nos puede suceder todo lo bueno. Nos guían con cariño y mimo. La alegría es nuestra compañera.

2 de octubre

Ningún daño

El Espíritu es una energía que nos alimenta. Cuando nos comprometemos con él, nos alimentamos. Cuando conectamos el bien que todos llevamos dentro, estamos protegidos y no nos puede pasar nada malo.

3 de octubre

Un ciclo traicionero

Para muchos de nosotros, las tarjetas de crédito son sinónimo de desastre. Agotamos el límite máximo de una, y luego pasamos a la siguiente. Las tarjetas de crédito nos hacen creer que disponemos de más dinero del que tenemos. Gastamos lo que no tenemos, y entonces pedimos más crédito. Es un ciclo traicionero. Cuando alcanzamos la solvencia, rompemos este ciclo.

4 de octubre

Una vida de acción

Cuando nos comprometemos con la solvencia, también lo hacemos con una vida de acción. Nos guían con cariño y mimo, y sabemos cuál es el siguiente paso que debemos dar. El Espíritu actúa desde nuestro interior. Si acudimos a él, sabemos qué hacer y cómo hacerlo. Nos vemos empujados a actuar por nuestro propio bien.

5 de octubre

La guía del Espíritu

«Espíritu, por favor, guía y protege mis finanzas», solemos rezar. Queremos saber cuál es el plan del Espíritu para nosotros y pedimos el poder para poder ejecutarlo. Una alegre armonía roza nuestras vidas y descubrimos el flujo del amor del Espíritu.

6 de octubre

Romper la negación

El recuento nos indica dónde va a parar nuestro dinero. Muchos de nosotros no sabemos los detalles de nuestros gastos. Llevar un registro nos da una imagen bastante precisa de nuestros comportamientos. Solemos gastar más de lo que ganamos, y pedimos prestado por adelantado para cubrir las pérdidas. El recuento refleja esos comportamientos y rompe la negación.

7 de octubre

Una fuerza del bien

Cuando depositamos nuestra situación económica en manos del Espíritu, nos convertimos en una fuente de luz. Aparece una fuerza irresistible del bien que impregna todas nuestras acciones. Crecemos y ayudamos a que los demás crezcan.

8 de octubre

Un trabajo que nos gusta

En plena locura económica, lo único que nos gusta de nuestro trabajo es el sueldo. Cuando hemos alcanzado la solvencia, nos preguntamos: «¿Qué me gusta hacer?». Muchas veces, podemos conseguir que nos paguen por hacer un trabajo que nos gusta.

9 de octubre

Dignidad

Cuando nos recuperamos de la mala gestión económica, recuperamos la dignidad. Cuando ponemos en práctica la abstinencia (no asumir deudas), ganamos en autoestima.

10 de octubre

Adrenalina

La mala gestión del dinero es una adicción. Estamos acostumbrados a la ansiedad. La falta de dinero, o el mal uso de los fondos disponibles, nos provoca una subida de adrenalina. A menudo, nos parece imposible poder llegar a poner en práctica la abstinencia, pero es posible, y podemos hacerlo si vamos día a día.

11 de octubre

El tabú del dinero

Para muchos de nosotros, hablar de dinero es casi tan tabú como hablar de sexo. No queremos revelar los vergonzantes secretos de nuestra economía. La recuperación empieza con la honestidad. Cuando revelamos nuestros secretos a alguien de confianza, empezamos a poner fin a la espiral de vergüenza.

12 de octubre

Volver a ser digno de confianza

La mala gestión económica destruye las buenas relaciones. A menudo, pedimos dinero prestado a familiares o amigos, y también a menudo no se lo devolvemos. Esperamos el «negocio del siglo» con el que deseamos poder recuperarnos. Y, cuando no llega, solemos mostrarnos volátiles. La solvencia nos aporta paz y nos hace recuperar la fe. Volvemos a ser personas dignas de confianza.

13 de octubre

Mártires del dinero

Algunos de nosotros estamos acostumbrados a la carencia. Ganamos poco y nos sentimos moralmente superio-
res a los que tienen dinero. Cuando tenemos dinero, lo
gastamos en los demás, en lugar de en nosotros mismos.
Pagamos más de lo que nos tocaría en los gastos compar-
tidos. Nos privamos de muchas cosas y eso nos hace sentir virtuosos. Somos mártires del dinero.

14 de octubre

Codependencia monetaria

La codependencia con el dinero es algo habitual. Muchos somos banqueros y prestamistas de nuestros seres queridos. Nos da miedo decir que «no» cuando nos piden que financiemos un nuevo plan. Nuestro dinero no es nuestro.

15 de octubre

El dinero como valor

La sociedad nos programa para comparar nuestro valor al dinero que tenemos. Rico es sinónimo de inteligente, y pobre es sinónimo de estúpido. Somos lo que ganamos, y nunca ganamos lo suficiente. Muchos tenemos una «cifra mágica», una cifra que estamos convencidos de que solucionará todos nuestros problemas y que nos abrirá las puertas a una vida llena de felicidad. El problema de la cifra mágica es que cada vez es más elevada. Cuando dejamos de medir nuestro valor basándonos en el dinero, somos libres para descubrir nuestro valor auténtico.

16 de octubre

Desprecio hacia uno mismo

La adicción a fingir tener más dinero es un ciclo repetitivo. Nos prometemos que mejoraremos, pero no podemos mantener nuestras promesas. Y, al final, volvemos a asumir deudas y a caer en la espiral de la vergüenza. El resultado es el desprecio hacia uno mismo. Si trabajamos día a día con nuestras herramientas de solvencia, ese desprecio irá desapareciendo.

17 de octubre

Pasión

La locura económica deforma nuestras percepciones. Con la solvencia, ganamos claridad. El mundo se convierte en un lugar hospitalario. Recuperamos nuestras pasiones. Nos atrevemos a soñar.

18 de octubre

Vaguedad terminal

Cuando se trata de nuestras finanzas, muchos practicamos la negación. Somos bastante vagos respecto a lo que ganamos y lo que gastamos. Esta vaguedad terminal nos permite continuar con nuestra mala gestión económica. Sabemos que tenemos problemas, pero nos negamos el derecho a conocer las dimensiones reales del problema. Al recurrir al recuento, nos hacemos el regalo de la claridad.

19 de octubre

Pagar las deudas

Cuando nos esforzamos por alcanzar la solvencia, es importante no sólo dejar de asumir deudas, sino también pagar las del pasado. Tenemos que poner en marcha un plan para devolver el dinero que nos han prestado. La devolución de la deuda debería ser gradual. No debemos prometer pagar más de lo que podemos asumir. Si vivimos dentro de nuestras posibilidades y devolvemos las deudas en cantidades cómodas, tendremos esperanza.

20 de octubre

Hablar de dinero

Para muchos de nosotros, hablar de dinero es una conversación volátil. Y aquí es donde el recuento nos resultará muy útil. Sabremos qué habremos gastado y cómo. Cuando aprendamos a cuadrar el recuento diario con el mapa del dinero mensual, seremos capaces de encarar una conversación sobre dinero sin vergüenza ni estar a la defensiva.

21 de octubre

Vivir el presente

La solvencia nos obliga a concentrar toda nuestra atención en el presente. Aprendemos que debemos cuidarnos ahora en lugar de esperar que, algún día, caiga del cielo un sueldo milagroso. Por ejemplo, muchos no tenemos una asignación para ocio, pero una vida sin diversión no es vida, y puede que acumulemos deudas a modo de venganza. Si marcamos un presupuesto para lo que nos gusta, nos mantendremos en el presente de forma natural y feliz.

22 de octubre

Objetividad

El recuento es una herramienta objetiva, no negativa. Nos permite concentrarnos en nuestro dinero sin condenas. Cuando cuadramos el recuento diario y lo pasamos al mapa del dinero mensual, vemos en qué áreas hemos gastado más de la cuenta. Y esto nos permite realizar ajustes. El dinero se convierte en nuestro amigo.

23 de octubre

Línea roja

A menudo, mientras intentamos alcanzar la solvencia, tenemos que enfrentarnos a oleadas de rabia: nuestras y de los que nos rodean. Cuando rompemos la negación, nos marcamos una línea roja económica, que son esas actitudes que nunca repetiremos o toleraremos. Cuando establecemos estas nuevas reglas, la rabia suele ser un efecto secundario.

24 de octubre

Actitudes tóxicas

Admitir que nuestra vida es imposible de gestionar a nivel económico es el primer paso hacia la solvencia. Cuando establecemos una línea roja de actitudes tóxicas, a menudo descubrimos lo lejos que hemos ido. Esta claridad nos permite cambiar.

25 de octubre

La esperanza de la riqueza

Cuando nos comprometemos con la solvencia, también lo hacemos con la esperanza de una situación económica saneada. Cuando rompemos la negación y establecemos una línea roja, empezamos a avanzar, paso a paso, y moneda a moneda, hacia la riqueza.

26 de octubre

El fin del aislamiento

La mala gestión económica nos conduce al aislamiento. No abrimos el correo, no respondemos al teléfono, evitamos las situaciones sociales que sabemos que disfrutaríamos. La solvencia es el regreso a la normalidad. Cuando volvemos a la sociedad ponemos fin al aislamiento.

27 de octubre

La fe sustituye al miedo

Cuando nos liberamos de la locura económica y alcanzamos la solvencia, nos olvidamos del miedo. La fe sustituye al miedo a medida que las nuevas actitudes van sustituyendo a las antiguas.

28 de octubre

Gasto crónico

Algunos de nosotros gastamos de forma crónica. Ganamos lo suficiente, pero gastamos de más. Nuestra hucha tiene un agujero. Cuando tenemos dinero, sentimos la necesidad de gastarlo. Cuando somos solventes, podemos aprender a construir nuestros ahorros, a «gastar» nuestro dinero en el futuro.

29 de octubre

El dinero como elemento neutral

Hasta que alcancemos la solvencia y la estabilidad, puede que seamos adictos a una de las características del dinero: los cambios de humor. En plena locura económica, el dinero nos hace sentir horrible o de maravilla. Nunca es un elemento neutral. Cuando somos solventes, el dinero pierde esa capacidad. Descubrimos la serenidad de la neutralidad.

30 de octubre

Grandiosidad fiscal

Atrapados por la locura económica, con las finanzas des-
controladas, nuestro gasto se convierte en motivo de
comparación con otros, y siempre salimos perdiendo.
Nunca tenemos «suficiente». Siempre queremos más.
Sentimos que no somos suficiente sin esa grandiosidad
fiscal. El último modelo de coche, ropa de marca, un
vestido elegante. Intentamos comprar nuestro propio valor con todo eso, y a menudo acabamos asumiendo todavía más deudas.

31 de octubre

Tacaños

Si somos tacaños, adictos a ganar menos de lo que merecemos y a ingeniárnoslas como podamos para vivir, no nos suele gustar pedir dinero prestado. Nos decimos que deberíamos tener «suficiente» sin lo que para nosotros supone una vergonzosa humillación: pedir un sueldo justo. Los tacaños son igual de tóxicos que los gastadores crónicos.

Noviembre

1 de noviembre

Una nueva habilidad

A menudo, damos por sentado que saber gestionar el dinero es un talento, no una habilidad. La verdad es que las herramientas para la gestión económica son sencillas y muy fáciles de aprender. Aunque cueste de creer, cualquiera que esté dispuesto a trabajar con esas herramientas puede acabar siendo un gran gestor para su dinero.

2 de noviembre

Abocados a la deuda

La locura económica es una enfermedad obsesiva. «Tenemos» que gastar porque «tenemos» que poseer determinado objeto, independientemente de que nos haya ido muy bien sin él. La obsesión nos empuja a comprar. Nos obliga a asumir una deuda que creemos justificada.

3 de noviembre

Una profecía autocumplida

La locura económica es una profecía autocumplida. Como sentimos que somos un fracaso, nos comportamos como tal. Como las deudas nos preocupan, solemos jugar a la ruleta de la tarjeta de crédito, y acabamos todavía más endeudados. Cuando decidimos cambiar nuestra actitud, paso a paso, vamos saldando las deudas y alcanzamos la solvencia.

4 de noviembre

Aprender herramientas nuevas

Cuando somos incapaces de gestionar nuestro dinero, muchos experimentamos una profunda sensación de vergüenza. Nos decimos que somos estúpidos y malas personas. Pero no es cierto. Cuando dejamos nuestras finanzas en manos del Espíritu, nuestra autoestima empieza a crecer. Estamos ansiosos por aprender herramientas nuevas, que nos conducirán a una nueva libertad.

5 de noviembre

Patrones tóxicos

Muchos tenemos situaciones económicas que entran en la espiral del descontrol. La negación siempre nos dice que esta vez será diferente. Somos víctimas de nuestra forma errónea de pensar. Se llama «vaguedad terminal». La negación nos condena a repetir los mismos patrones tóxicos. El recuento rompe con la negación y nos libera de dichos patrones.

6 de noviembre

«Esta vez será diferente»

No queremos creer que somos mentirosos, pero muchos hemos hecho promesas vacías para reformar nuestro gasto. Alegamos que pagaremos las deudas, incluso cuando nuestras actitudes generan otras nuevas. «Esta vez será diferente», nos decimos, y se lo repetimos a los demás. Sin embargo, hasta que no acudamos a la ayuda espiritual, los patrones tóxicos se repetirán.

7 de noviembre

Tocar fondo

Para muchos de nosotros, los males económicos nos roban la integridad. Cada vez que tocamos fondo a nivel financiero, nos decirnos: «Tengo que cambiar». No obstante, el tocar fondo no se convierte en recuperación hasta que admitimos: «Necesito ayuda». Cuando admitimos nuestra necesidad de recibir ayuda espiritual, rezamos para haber llegado por fin al fondo definitivo.

8 de noviembre

Nuestras necesidades auténticas

La locura económica nos tienta a endeudarnos por muchas cosas que realmente no necesitamos. La solvencia nos muestra nuestras necesidades auténticas. Debemos aprender a discernir entre deseos y necesidades.

9 de noviembre

Herramientas para la claridad

Cuando utilizamos las herramientas financieras (el recuento, el mapa del dinero, el plan de prosperidad), salimos de la vaguedad terminal y ganamos claridad. Por primera vez en mucho tiempo, sabemos qué tenemos y en qué lo gastamos. Cuadramos el recuento semanal y lo convertimos en un mapa del dinero mensual. Nuestro dinero es como un río con muchos afluentes. Podemos ajustar el flujo hacia donde sea más necesario.

10 de noviembre

Valor para recuperarnos

Para muchos de nosotros, la primera consecuencia de la recuperación económica es la rabia. Sentimos rabia por no poder gastar con libertad. Sentimos rabia hacia nuestra pareja, que a lo mejor intenta boicotear nuestra decisión de alcanzar la solvencia y quiere seguir gastando como antes. Necesitamos mucho valor para recuperarnos del gasto codependiente.

11 de noviembre

Máscaras

La locura económica es una enfermedad de máscaras. La mala gestión financiera suele cambiar de máscara a menudo. Quizá primero nos identifiquemos con un gastador crónico, pero luego nos damos cuenta de que tenemos problemas con la codependencia de efectivo. Aunque después la máscara puede cambiar cuando somos conscientes de nuestros ataques de tacañería, o nuestras actitudes de esperar el negocio del siglo o nuestras habilidades de gestor de mantenimiento. Cuando pedimos ayuda espiritual, empezamos a solucionar todas nuestras actitudes tóxicas.

12 de noviembre

La solvencia como muestra de respeto hacia uno mismo

A menudo, nos decimos: «Si tuviera dinero, me respetarían más». Y establecemos una cifra mágica que creemos que alimentará nuestra autoestima. No obstante, el respeto que realmente importa es el que sentimos por nosotros mismos, y ése sólo se consigue a través de la solvencia.

13 de noviembre

El dinero como amor

Muchos crecimos con la creencia tóxica de que el dinero era sinónimo de amor. Gastar se convirtió en una forma de expresar afecto. Siempre necesitábamos gastar más, comprarnos un sitio en el corazón de los demás.

14 de noviembre

El trabajo como amor

La persona adicta al trabajo se cree el mensaje de que «el trabajo es amor». Sin embargo, las horas que pasamos en el trabajo son horas que negamos a nuestros seres queridos. La solvencia aporta intimidad. La persona adicta al trabajo aprende a expresar el amor auténtico a través del tiempo que pasa con las personas que quiere.

15 de noviembre

Compasión hacia nosotros mismos

Uno de los primeros frutos de la solvencia es la compasión. Y las primeras personas con las que debemos ponerla en práctica somos nosotros mismos. Debemos desmontar nuestro perfeccionismo y aprender a aceptar el progreso, no la perfección.

16 de noviembre

El dinero como clase social

Muchos hemos asumido la creencia tóxica de que el dinero es sinónimo de clase social alta. Cuando creemos que lo rico es sinónimo de inteligente, estamos aceptando que si tuviéramos más dinero, podríamos comprar el respeto de la gente.

17 de noviembre

Un camino nuevo

Cuando confiamos en el Espíritu y empezamos a trabajar con herramientas de solvencia, descubrimos que hemos dejado atrás las costumbres viejas y tóxicas. Con el
Espíritu como fuente, tenemos la fuerza para caminar un
camino nuevo.

18 de noviembre

Reconocimiento

Para muchos, nuestra mala gestión crónica empieza con una sensación de reconocimiento. Tenemos la sensación de que el mundo nos debe una vida. De que el mundo nos debe más de lo que tenemos.

19 de noviembre

Heroísmo económico

Muchos de nosotros caemos en las redes del gasto excesivo como una forma de heroísmo económico. Nuestras grandes esperanzas nos piden que gastemos más de lo que tenemos. A menudo, gastamos para rescatar a los demás y malinterpretamos su gratitud creyendo que es amor.

20 de noviembre

Brújula moral

A menudo, la locura económica nos roba la moral. Con el dinero como eje central y principal objetivo de nuestra vida, suele ser la única variable a la hora de tomar decisiones complejas. Vamos donde está el dinero, no donde nos indica nuestra brújula moral.

21 de noviembre

Un secreto de familia

Muchos hemos crecido conscientes de que el dinero era un secreto de familia. Hablar de dinero es un tabú. Nunca sabemos con certeza cuánto tenemos, cuánto necesitamos o con cuánto podemos contar.

22 de noviembre

Gangas

A menudo, gastamos, y mucho más de la cuenta, porque un artículo está de rebajas y porque es una «excelente compra». Puede que ni lo necesitemos, pero no podemos evitar sucumbir a los cantos de sirena de una ganga.

23 de noviembre

Incomodidad

La mala gestión económica genera estrés, y el estrés genera mala gestión económica. Y para silenciar nuestra sensación de incomodidad, recurrimos a acciones tóxicas. Y, al hacerlo, la incomodidad aumenta.

24 de noviembre

El negocio del siglo

Si la mala gestión del dinero es porque siempre estamos esperando que llegue el negocio del siglo, estamos esperando un ingreso repentino y enorme. No tenemos paciencia para el progreso gradual. Somos adictos a la fantasía de la «gran victoria».

25 de noviembre

Un círculo vicioso

Muchos somos adictos a la ansiedad. No disponemos de la claridad que aporta la serenidad. La vaguedad terminal relativa a nuestras finanzas nos genera estrés. El estrés es la invitación a fingir ser quien no somos. Y fingir genera más estrés. Es un círculo vicioso.

26 de noviembre

El drama de la deuda

La mala gestión financiera crea dramas. Al estar acostumbrados al estrés, actuamos de formas que aumentan nuestra ansiedad. La solvencia, con su calma y su serenidad, nos parece muy lejana. A menudo, elegimos el drama sencillamente porque ya lo conocemos. Pero, por su propia naturaleza, la deuda es dramática.

27 de noviembre

Mentiras, mentiras

La vaguedad terminal nos dice que nuestra economía está bien cuando no lo está. Nos dice que esta vez será diferente cuando no es cierto. Cuando tocamos fondo, nos damos cuenta de que la vaguedad terminal nos miente. Nos damos cuenta de que somos realmente impotentes en asuntos económicos. Suplicamos al Espíritu que nos ayude. La negación se resquebraja. De repente, estamos dispuestos a dar los primeros pasos hacia la solvencia.

28 de noviembre

El ciclo de la vergüenza

La mala gestión económica alimenta la vergüenza. Y, a su vez, la vergüenza alimenta la mala gestión económica. Cuando confiamos en el Espíritu, descubrimos el primer resplandor de autoestima. Descubrimos la compasión. Cuando actuamos con responsabilidad, la autoestima sustituye a la vergüenza.

29 de noviembre

El sueño americano

La locura económica bebe del sueño americano, compuesto por dinero y fama a partes iguales. Cuando perseguimos cualquiera de esas cosas sin una motivación, caemos presas de actitudes tóxicas.

30 de noviembre

Plegaria afirmativa

Cuando confiamos en el Espíritu, podemos practicar la plegaria afirmativa. No pedimos ayuda al Espíritu, sino que afirmamos que la recibimos.

Diciembre

1 de diciembre

Anorexia económica

La locura económica adopta muchas formas. Y la anorexia económica es una de ellas. Nos negamos a gestionar
dinero, de modo que ganamos menos de lo que merece-
ríamos y gastamos menos. La falta de dinero nos «pone».

2 de diciembre

Adictos al trabajo

Para recuperarnos de la locura económica, muchos necesitamos recuperarnos de la adicción al trabajo. Descubrimos que trabajamos una cantidad de horas poco razonable, a menudo a cambio de un sueldo poco razonable. Cuando nos recuperamos, valoramos nuestro tiempo y nuestra energía. Trabajamos una cantidad de horas normal a cambio de sueldo normal.

3 de diciembre

Pedir dinero

Pedir dinero a familiares, amigos y compañeros de trabajo es una forma muy habitual de endeudarnos. Confundimos el dinero con el amor y, cuando nos prestan dinero, sentimos que esa persona nos quiere. A menudo, no tenemos pensado devolverlo. Nos parece que ese dinero es nuestro.

4 de diciembre

Fingir

Cuando marcamos una línea roja en nuestra actitud respecto al dinero, marcamos una frontera. Ya no toleraremos más actitudes tóxicas, ni en nosotros ni en los demás. Dejamos de fingir.

5 de diciembre

Patrones de infancia

Cuando somos adultos y estamos atrapados en la locura económica, muchos reproducimos patrones financieros que recordamos de nuestra infancia. Suplicamos, pedimos prestado y robamos para sentirnos queridos. Tenemos una relación irracional con el dinero.

6 de diciembre

Dolor

A menudo, lo que hace que toquemos fondo en la mala gestión económica es el dolor. Nuestras actitudes son tóxicas y nos provocan sufrimiento. Al final, la negación se resquebraja y acabamos suplicando ayuda espiritual. Hemos tocado fondo.

7 de diciembre

Una nueva percepción

Cuando confiamos en el Espíritu, descubrimos una nueva percepción de nosotros mismos. Nuestro patrimonio no equivale a nuestro patrimonio neto. Aparte de una línea roja económica, tenemos valor y dignidad.

8 de diciembre

Cambio a mejor

El estrés tóxico es el preludio del fingimiento. Cuando nos recuperamos, descubrimos un estrés nuevo que no es tóxico: el estrés del cambio. Cuando marcamos una línea roja y la respetamos, descubrimos un cambio a mejor.

9 de diciembre

Carácter

En plena locura económica, perseguimos el dinero como indicador social. Cuando somos solventes, descubrimos que nuestro valor nace de nuestro carácter, no de nuestra cuenta corriente.

10 de diciembre

Objetivos y sueños

Cuando estamos atrapados en la locura económica, nuestros objetivos suelen ser castillos en el aire. Cuando nos recuperamos, paso a paso, nuestros objetivos son más realistas. Cuando alcanzamos la solvencia, a menudo somos capaces de conseguir objetivos y sueños que nos han eludido durante mucho tiempo.

11 de diciembre

Del tamaño correcto

Cuando confiamos en el Espíritu, evitamos la grandiosidad y abrazamos la humildad. Somos del tamaño correcto. De repente, estamos muy cómodos en nuestra piel. Ya no fingimos, apuntamos objetivos realistas, nos ganamos el respeto de los demás y el nuestro.

12 de diciembre

El dinero es neutro

A veces, cuando somos tacaños, tenemos la creencia inconsciente de que el dinero es malo. El dinero no es ni bueno ni malo. El dinero es neutro.

13 de diciembre

La imaginación como aliada

Durante la locura económica, muchos de nosotros abusamos de nuestras imaginaciones, y creamos visiones tóxicas y desproporcionadas del futuro. Cuando establecemos la solvencia, la imaginación se convierte en una aliada y en un activo. Visualizamos el futuro basándonos en la dignidad. Utilizamos la imaginación para alcanzar nuestros objetivos paso a paso.

14 de diciembre

Mapa del dinero

El recuento es una herramienta diaria. Y el mapa del dinero es una herramienta mensual. El plan de prosperidad se construye sobre una base sólida de ambas. El mapa del dinero dibuja claramente dónde va nuestro dinero. El plan de prosperidad dibuja dónde podría ir. Cuando ambos convergen, hemos alcanzado la salud económica.

15 de diciembre

Preocuparse por costumbre

Cuando nos dejamos llevar por la locura económica, muchos nos acostumbramos a la adrenalina y a preocuparnos. Nuestras finanzas son tóxicas y la vaguedad terminal hace que no estemos centrados. Uno de los primeros frutos de la solvencia es la claridad. Ya no nos preocupamos sin motivos. Al hacer recuento, sabemos cuánto dinero tenemos y dónde debería ir.

16 de diciembre

Tarjetas de crédito

A pesar de que son muy cómodas, las tarjetas de crédito son una amenaza para la solvencia. Sólo deberían utilizarse si saldamos el gasto de inmediato; si no, acumulamos una deuda. La ruleta de las tarjetas de crédito es una enfermedad habitual: alcanzamos el límite de una y pasamos a la siguiente.

17 de diciembre

Intimidación

Cuando estamos atrapados en la locura económica, a menudo nos sentimos intimidados. La intimidación es una amenaza rutinaria para nuestra serenidad. Tenemos miedo del teléfono o del correo. Nos sentimos culpables y avergonzados. Tenemos la autoestima muy baja. Cuando alcanzamos la solvencia, ya no nos dejamos intimidar. Hacemos frente a las deudas y vivimos acorde a nuestras posibilidades.

18 de diciembre

El dinero como Dios

En los billetes de un dólar se puede leer: «Confiamos en Dios» pero, en plena locura económica, confiamos en el dólar. Confiamos en el dinero como si fuera Dios, depositando nuestra fe en la cuenta corriente y no en el Espíritu. Cuando tenemos deudas, nos sentimos condenados.

19 de diciembre

Olvidarse del miedo

Cuando confiamos en el Espíritu y estamos comprometidos con la solvencia, nos damos cuenta de que nos vamos olvidando de los miedos. El temor y la aprensión ya no son nuestros compañeros habituales. Los sustituyen el optimismo y la esperanza.

20 de diciembre

La espiral de la deuda

Cuando vivimos por encima de nuestras posibilidades, muchos acabamos atrapados en la espiral de la deuda. Llevamos un ritmo de vida que no podemos permitirnos. E intentamos convencernos de que es «normal».

21 de diciembre

Gasto destructivo

Cuando gastamos más de lo que tenemos, puede que acabemos cayendo en lo que se conoce como «gasto destructivo». Amenaza nuestra autoestima. Ponemos en peligro nuestro futuro.

22 de diciembre

Poner fin al desorden

Cuando nos ahogamos en la locura económica, tenemos tendencia a procrastinar. No abrimos el correo. No devolvemos las llamadas. La casa está llena de cosas acumuladas. Es muy difícil pensar entre tanto desorden. Cuando somos solventes, lo llevamos todo al día. Ponemos fin al desorden hasta que logramos la claridad. Y, cuando la encontramos, mantenemos nuestros asuntos ordenados.

23 de diciembre

Los más sinceros esfuerzos

Cuando alcanzamos la solvencia, confiando en el Espíritu, descubrimos la compasión. En lugar de convertirnos en víctimas del perfeccionismo, apreciamos nuestros esfuerzos más sinceros.

24 de diciembre

Salvaguardar el futuro

Al bautizar nuestros ahorros como «cuentas de la libertad», aprendemos a salvaguardar nuestro futuro. Tenemos dinero en efectivo para hacer frente a cualquier emergencia. Tenemos la libertad de no preocuparnos.

25 de diciembre

Pequeños pasos

Cuando dejamos de deber y nos iniciamos en la solvencia, empezamos con pasos pequeños. Los pequeños cambios marcan una gran diferencia. El plan de prosperidad se basa en pequeños cambios.

26 de diciembre

Comprar el amor

Si creemos que el dinero es un sinónimo del amor, prestar dinero es un patrón tóxico para muchos de nosotros. Creemos que un préstamo en el momento oportuno nos comprará el amor de la otra persona. De hecho, solemos tener miedo de decir que «no» cuando nos piden dinero.

27 de diciembre

Perdonarnos

Uno de los primeros frutos de la solvencia es la capacidad de perdonarnos. A medida que vamos dando pasos diarios hacia la salud económica, ya no nos despreciamos. Ya no nos culpamos. Ahora tenemos la capacidad de tomar decisiones sensatas.

28 de diciembre

Orden

En medio de la locura económica, nuestras vidas son
caóticas. El desorden se acumula. Cuando decidimos ordenar el desorden económico, nos ponemos al día y nos
mantenemos en ese estado. Cuando somos solventes,
nuestras vidas son ordenadas.

29 de diciembre

Un plan razonable

Saldar las deudas es una parte importante de la solvencia. Cuando adoptamos la abstinencia y decidimos no acumular más deudas, tenemos que elaborar un plan razonable para devolver el dinero que debíamos. Es importante que no prometamos más de lo que podemos asumir. Cuando creamos un plan razonable, somos capaces de cumplir nuestra promesa. Y aumentamos nuestra autoestima.

30 de diciembre

A salvo en las emergencias

El 10 por 100 de lo que ingresamos debe ir destinado a la cuenta de la libertad. Aunque parezca poco, enseguida se convierte en una cantidad respetable. Las cuentas de la libertad nos mantienen a salvo en caso de emergencia.

31 de diciembre

Abundancia

Cuando creemos en un universo abundante, somos capaces de recibir la prosperidad como un regalo espiritual. Nuestra abundancia no hace daño a nadie. Todo lo contrario; sirve como ejemplo a los demás.